Basic cooking

Alles, was man braucht, um schnell gut zu kochen

Sabine Sälzer Sebastian Dickhaut

Basic cooking

Inhalt

Teil I: Basic Know How

Teil II: Basic Rezepte

Einfach kochen

Mehr nicht

Basics sind das weiße T-Shirt und das kleine Schwarze. Die Edel-Schuhe aus London und der scharfe Schal aus dem Indienladen. Und natürlich die Smokingjacke vom Opa. Hab' ich nur ein Teil an, ergibt sich der Rest von selbst. Egal, ob ich was Warmes will oder was zum Angeben.

Moment, ist das nicht ein Kochbuch? Ja klar. Bruschetta mit Tomaten und Spaghetti mit Zitronensahne, Omas Schweinebraten und Franks Mousse au chocolat, feurige Mojo aus Spanien und Mayo aus der eigenen Küche – alles Basics. Alles das, was immer paßt und ohne das der eigene Stil nur Mode wäre. Koch' ich mir ein Teil, kommt der Rest von selbst. Egal, ob ich was Warmes will oder was zum Angeben.

Ein Kochbuch wollten wir machen, endlich mal wieder. Keine Bibel, kein Lexikon, keinen Kunstband. Keine 1000 Rezepte. Keine 2000 Varianten. Nur über 100 Lieblingsessen, Na-endlich-Gerichte und Basic-Rezepte, die einen auf eine Million von Einfällen bringen können. Gerne auch auf ein paar dumme.

Ein Kochbuch ist es geworden, für eine Küche voller bärenhungriger Freunde und für die einsame Insel mit angespülter Bordküche. Ein Buch darüber, daß Essen lebenswichtig ist und daß es deswegen nicht immer so wichtig genommen werden muß. Einfach lesen, die Lust kommt dann von selbst. Be basic. Mehr nicht.

basic

basic
Know How

„Essen macht Spaß!" Wissen wir. „Einkaufen auch." Ach ja?

Warum soll's uns schlechter gehen als denen im Fernsehen? Morgens mit dem Kaffee durchs Loft tanzen, mittags fröhlich den Auflauf ins Rohr schieben, abends mit Freunden an der langen Tafel lachen. Ist doch klasse! Hat aber einen Haken: Wir müssen erst mal einkaufen. Und dabei haben wir noch keinen im Werbefernsehen gesehen.

Niemand, der am Regal entlanghetzt, der sich zum Salat vorboxt oder beim Wein zuerst aufs Preisetikett schaut. Machen wir aber fast jeden Tag. Und das kann ganz schön stressig sein. Es geht aber auch lässiger.

Klar, der große Genuß kommt erst beim Essen. Aber so ein bißchen Vorfreude, die dürfen wir uns sogar schon im Supermarkt gönnen. Wenn wir uns vorher ein bißchen schlau gemacht haben. Und die drei Basics des schlauen Einkaufens kennen:

Ich weiß was. Ich plan' was. Und jetzt mach' ich's!

Schlau kaufen

75 Prozent der US-Amerikaner wissen nachmittags noch nicht, was sie abends essen. Clever?

Einfach nur mal shoppen gehen kann richtig gut tun. Nach Lust und Laune zugreifen und dabei vielleicht auf ein Lieblingsstück fürs Leben stoßen, das hat schon was. Aber wer auch seine Lebensmittel täglich beim Einkaufsbummel zusammensucht, der hat das bald nur noch satt. Weil schon am nächsten Tag immer das Falsche im Kühlschrank steht. Weil das Geld so schnell weg ist. Schlauer ist, wer vorher sagt:

Ich weiß was

Klingt ja wie in der Schule. Aber erst mal geht's um die eigene Küche. Wer weiß, daß die noch eine Paprika, den Reis vom Vortag und eine Flasche Sojasauce zu bieten hat, dem kommt vielleicht schon eine Idee fürs Abendessen. Und wer dann noch einen guten Laden für frischen Fisch kennt, kann die selbstkreierte Reispfanne schon auf die Karte setzen.

Der echte Lebenskünstler hat immer ein paar Standards zu Hause, aus denen sich ein gutes Essen machen läßt. Sie werden auf den nächsten Seiten vorgestellt. Zusammen mit unseren Rezepten sind sie Stoff genug, um nach einer halben Stunde Supermarkt zu Hause die große kulinarische Oper hinzulegen.

Mühelos gut zu sein, das heißt auch: wissen, was gut ist. Eine Geldfrage? Und Geschmackssache? In Ordnung. Aber dann wollen wir wenigstens wissen, was nicht gut ist. Harte Linsen sind nicht gut. Weswegen ein Linsengemüse aus der Dose, verfeinert mit Aceto balsamico, auf die Schnelle immer besser ist. Auch zähes Fleisch ist nicht gut. Und wer am Billigkotelett nur lustlos knabbert und dann doch den Pizza-Mann rufen muß, der wäre mit dem guten Stück vom Bio-Schwein sogar günstiger dran gewesen. Auch Äpfel im Frühsommer kommen weder gut noch günstig. Aber das ist ja nur praktisch: Denn immer dann, wenn Früchte oder Gemüse ihre Saison haben, schmecken sie nicht nur am besten, sondern gibt es auch besonders viele davon zu ganz besonders guten Preisen. Erst recht, wenn sie aus dem eigenen Land kommen. Da freut sich dann auch die grüne Seele in uns.

Ich plan' was

75 Prozent aller US-Amerikaner haben um vier Uhr nachmittags noch keine Ahnung, was sie abends essen werden. Oft wird es dann ein aufgewärmtes Fertigmenü aus dem Supermarkt. Irgendwie nicht sehr souverän und kreativ.

Da plane ich lieber ein bißchen. Früher wurden Speisezettel für die ganze Woche geschrieben. Heute reicht es, sich über den aktuellen Tag und sein Essen ein paar Gedanken und Notizen zu machen. Der Einkaufszettel ist dafür immer noch das beste Stück. Es kann die Rückseite vom letzten Kassenbon sein oder ein Blatt im Extra-Einkaufsbuch. Hauptsache, das Ding schafft es ohne Verluste bis zur Ladenkasse.

Clevere Einkäufer teilen sich die Arbeit ein: eine Zettelecke für die Metzgersfrau, eine für den Gemüsetürken, eine für den Supermarkt. Und wenn's nur dieser ist: eine Ecke fürs Kühlregal, eine für den Obststand, eine für die Käsetheke.

Und jetzt mach' ich's

Das heißt: losgehen und zugreifen. Und wenn mir etwas in die Quere kommt, was besser paßt oder günstiger als das Geplante ist: nehmen. Als echter Basic-Koch kenn ich mich da ja aus, weiß was, hab' mir was überlegt. Und genieße auch schon mal den Luxus, dies alles wieder zu vergessen. Schließlich weiß ich über die wichtigsten Grundregeln Bescheid und mag das Spiel mit den Variationen.

Drei Goldregeln fürs Einkaufen

1 Iß vorher was Ordentliches

Wer hungrig in den Laden geht, kauft sich satt. Zu teuer. Allerdings: Wer vorher bis zum Anschlag ißt, mag gar nicht mehr ans Essen denken und schaut, daß er schnell nach Hause kommt. Auch nicht gut, denn:

2 Zeit nehmen, aber nicht Zeit lassen

Wenn es geht, nicht in letzter Minute einkaufen, weil dann schnell zum Erstbesten gegriffen wird. Und das ist oft teurer. Beim lockeren Bummel landet dafür mehr im Korb, als man will. Also konzentriert einkaufen und:

3 Kuck mal da unten

Rechtes Regal, Augenhöhe – 500 g Kaffee für mehr als 6 €. Bitte mal bücken – das Pfund für 4 €. Jetzt noch nach links drehen – ach, da ist ja das Mehl. Wo man zuerst hinschaut, ist es am teuersten. Günstiger wird's auf den zweiten Blick. Und was man eigentlich will, findet man erst nach längerem Suchen. Also aufpassen, sonst ist der Korb gleich voll mit Ungewolltem zu Höchstpreisen.

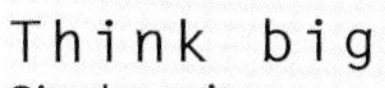

Think big

Singles wissen es, leider: Je kleiner etwas abgepackt wird, desto teurer ist es. Da ist's manchmal schon fast egal, ob man die große oder kleine Packung Toast kauft. Und auch lose Lebensmittel kommen oft günstiger als zerkleinerte und abgepackte.

Cool basics

„Liebe Basics, es ist ein bißchen kühl hier, aber dafür ist das Essen bestens. Viele Grüße, Euer Kühl-schrank."

Was haben Sultaninen und Sauerkraut gemeinsam? Daß sie nicht in den Kühlschrank müssen. Weil sie auf eine Weise haltbar gemacht worden sind, die ganz Clevere noch in kühlschranklosen Zeiten erfunden haben. Waren gar keine schlechten Zeiten, denken wir beim Naschen unserer lecker eingelegten Oliven. Aber gut, daß sie vorbei sind. Sonst wäre unser Prosecco dazu jetzt ganz schön warm.

Eine Küche ohne Küchenschrank ist heute noch eher auszuhalten als ein Haushalt ohne Kälte aus der Steckdose. Denn die hat für Taufrischfanatiker und Kühlungsuchende im Alltag immer etwas auf Lager. Das Klima dabei reicht vom mäßigen Winter im Kühlschrank bis zum arktischen Tief im Froster. Und manche Lebensmittel mögen sogar Frühlingstemperaturen.

Klimaforschung im Kühlschrank

Von 0 bis 6 Grad reichen die Temperaturen im üblichen Kühlschrank. Dabei gilt für die Minibar mit Eisfach wie für den Luxuskühler mit Champagnerzone: Hinten und unten ist es immer kälter als vorne und oben. Also Fisch am besten ganz unten auf die Platte stellen und nach hinten zum Verdampfer schieben. Ausnahmen? Drei: Direkt beim Eisfach ist es auch dann besonders kalt, wenn es ganz oben liegt. Und in den Gemüsefächern unten ist es wärmer, als man denkt – denn die Platte darüber stoppt die nach unten absinkende Kaltluft. Und: In der Kühlschranktür herrscht gemäßigtes Klima, das mit jedem Öffnen mäßiger, also wärmer wird. Dann noch das Eisfach: Das Grundmodell kühlt auf 0 Grad, taugt also nur für Eiswürfel. Sobald etwa Fett oder Zucker ins Spiel kommen, sinkt nämlich der Gefrierpunkt von Lebensmitteln. Ein-Sterne-Fächer reichen dann immerhin für 1–3 Tage, zwei Sterne für maximal zwei Wochen, drei Sterne stehen für -18 Grad und damit Tiefkühlqualität.

Arktisches Tief mit drei Sternen: der Gefrierer

18 Minusgrade und mehr herrschen in Gefriergeräten, eine Bitterkälte, bei der man sich kaum rühren mag. Und so läuft das Leben im Tiefkühler auch in Zeitlupe ab, was heißt, daß es länger erhalten bleibt. Was aber nicht heißt: ewiges Leben. Luft und Wasser tun hier weiter, wenn auch stark gebremst, ihre Arbeit. Das langsamere Altern der Lebensmittel im Kälteschlaf läßt sich aber noch weiter runterfahren, wenn sie gut und damit luftdicht verpackt sind. Was sonst passiert, kann man im halboffen abgelegten Beutel mit TK-Fritten sehen: Da stecken dann bald nur noch ein paar ausgetrocknete Pommes und viel Eis drin. Gerne wird gesagt, daß TK-Gemüse mehr Nährstoffe enthält als das Grün vom Gemüsemann. Stimmt, wenn der Händler mit altem Zeug Geld macht und es dabei behandelt wie Kohle. Sonst aber kommt's frisch immer noch besser. Klar, Erbsen oder Blätterteig aus dem Tiefkühler sind wirklich praktisch, und für die drei Teller Suppe zuviel ist er auch der ideale Ort. Aber: Frisches Fischfilet oder ein zartes Steak sind nicht unbedingt Basics für den TK-Vorrat – die sollten lieber gleich in die Pfanne.

Manche mögen Frischluft

Viele Obst- und manche Gemüsearten mögen als echte Sonnenkinder auch in der Küche keine Kühlschranktemperaturen. Einige wie Bananen vertragen überhaupt keine Kälte, manche verlieren dabei wie Tomaten ihr Aroma für immer, andere mögen es auf Dauer nicht zu kalt, werden aber durch kurzes Kühlen vor dem Servieren erst richtig erfrischend – Melonen zum Beispiel.

Die kleine Vorrats-etikette

Was die Lager-Hinweise der Hersteller bedeuten

- Gekühlt aufbewahren: im Kühlschrank
- Kühl aufbewahren: nicht unbedingt im Kühlschrank, sondern besser an einem kühlen Ort bei maximal 18 Grad
- Bei Zimmertemperatur aufbewahren: bei 18 - 22 Grad, also im Küchenschrank
- Vor Wärme schützen: verträgt etwas höhere Grade, aber nicht gerade neben der Heizung
- Trocken aufbewahren: in einem luftdichten Gefäß nicht gerade über dem Herd
- Lichtgeschützt aufbewahren: in Dosen, dunklen Gläsern, hinter Türen

Der gekühlte Grundvorrat – was wo, wie und wie lange frisch bleibt

Oben und Mitte

ein Käse fürs Brot und zum Überbacken (wie Gouda), ein Käse zum Reiben (wie Parmesan), ein Käse zum Naschen (wie Camembert, Blauschimmel, Rotschmier), nach Lust und Laune Frischkäse, Mozzarella etc.
Wie: in luftdichter Dose, Schnittfläche in Folie bzw. ganz mit Papier oder feuchtem Tuch bedeckt. Kräftige Sorten extra. Frischkäse, Mozzarella in Verpackung
Wie lange: je nach Sorte 3 Tage bis 2 Wochen bzw. bis MHD

Milch, Sahne, Joghurt, Crème fraîche, Quark; Kefir, Buttermilch, saure Sahne, Mascarpone
Wie: eher in der Mitte als oben lagern; nach dem Anbrechen gut verschließen, stets mit sauberem Löffel abnehmen
Wie lange: bis MHD, nach dem Öffnen 2–5 Tage

Unten bzw. an kältester Stelle

Fleisch, Wurst, Fisch
Wie: Fleisch und Fisch ohne Verpackung, auf Teller oder in Schale nicht ganz luftdicht abgedeckt; Geflügel extra; Wurst ohne Verpackung in möglichst getrennten, nicht zu vielen Lagen in luftdichter Dose; Räucherwaren extra
Wie lange: Hackfleisch knapp 1 Tag, Geflügel und kleingeschnittenes Fleisch 1–2 Tage, übriges Fleisch 2–3 Tage, gegart 3 Tage; Fisch frisch 1–2 Tage, geräuchert, gebeizt, mariniert nach dem Anbrechen 2–3 Tage, gegart 2–3 Tage; Wurst 2–4 Tage, Räucherwaren 1 Woche und länger

Tür

Butter, Eier, angebrochene haltbare Konserven, angebrochene Getränke
Wie: in jeweiligen Fächern
Wie lange: Butter und Eier bis MHD

Gemüsefach

Gemüse wie Lauchzwiebeln bzw. Lauch, Möhren, Kohl und Rüben aller Art als Basics, bei Salaten halten Chinakohl, Romana oder Chicorée länger; Pilze und Suppengrün für alle Fälle; ansonsten nach Saison, Lust und Laune
Wie: lose, Empfindliches nicht ganz luftdicht in Folie oder feuchten Tüchern; Grün entfernen
Wie lange: Blattgemüse und Pilze 2–3 Tage, Wurzelgemüse wie Möhren oder Rüben 1–2 Wochen, übriges 1 Woche

Kräuter wie Basilikum, Petersilie und Schnittlauch kommen immer gut; Dill, Estragon, Kerbel, Kresse, Oregano, Rosmarin, Salbei, Thymian für Specials
Wie: in Folie oder feuchtes Tuch gewickelt
Wie lange: Zartes 2–3 Tage, sonst 4–7 Tage

Frische Beeren
Wie: von anderen Lebensmitteln getrennt, Beeren nicht zu dicht, am besten in einer Lage mit feuchtem Tuch abgedeckt
Wie lange: 1–3 Tage

Tiefkühlgerät

Erbsen, Spinat, gehackte Kräuter; Pommes frites, Blätterteig, Fertiggebäck (Toast, Baguette usw.), TK-Fischfilets, Garnelen, TK-Beeren, Eis, Eiswürfel; Selbstgekochtes, Fertigprodukte zum Aufmotzen für Notfälle
Wie: luftdicht in Tiefkühlgefäßen und -tüten (Angebrochenes wieder verschließen)
Wie lange: TK-Produkte bis MHD, nach dem Auftauen wie frische Produkte; Gebäck 1–3 Monate; Fisch 3–6 Monate, Obst und Gemüse 6 Monate (z. B. Beeren) bis 12 Monate (z. B. Möhren), Fleisch 6 (Geflügel, Schwein) bis 12 Monate (Lamm, Rind); Selbstgekochtes 3–6 Monate

Draußen

Auberginen, Gurken, Kartoffeln, Knoblauch, Paprika, Tomaten, Zucchini, Zwiebeln; Äpfel, Bananen, Kiwis, Zitrusfrüchte und andere Exoten
Wie: dunkel (außer zum Nachreifen), luftig und trocken. Kartoffeln, Knoblauch, Zwiebeln 6–15 Grad, Gemüse 10–15 Grad, Obst 12–18 Grad. Obst und Gemüse können gegenseitig die Reifung beschleunigen (Äpfel bei Kartoffeln, Birnen, Bananen; Zitrusfrüchte bei Avocados, Äpfeln und Bananen), daher getrennt lagern
Wie lange: je nach Temperatur wenige Tage (Obst), 1 Woche (Gemüse) oder 2 Wochen (Kartoffeln usw.)

Basics auf Vorrat

„Ich hab' mal wieder nix zum Aufessen!“ „Aber der ganze Küchenschrank ist doch voll!“

Bitte mal vorstellen: große Kreuzfahrt mit bestem Buffet. Plötzlich ein Riesenknall, und Stunden später wacht man auf der berühmten einsamen Insel auf – mit Mordshunger. Zum Glück ist die Bordküche auch angespült worden, und die Palme da vorne hat sogar die passende Steckdose. Dumm nur, daß alle Vorräte auf dem Meeresgrund liegen. Nix mit Sattwerden bis zum Glücklichsein. „Irrtum“, säuselt da ein Stimmchen. Eine Nixe! „Du hast drei Zutaten frei. Aber überleg's dir gut. Be basic!“ Erstmal Nudeln, ist ja klar. Oder lieber Brot? „Nimm Mehl“, souffliert die Wasserfee. Ja, genau, und Salz natürlich! „Ts, ts, ts“, schüttelt die Kleine ihr Köpfchen in Richtung Salzwasser, „wie wär's mit Knoblauch?“ Natürlich! Aber Butter, Butter muß sein. „Bei der Hitze?“ Öl? „Endlich hast du's kapiert. Und jetzt mach's gut.“ Halt, wollen wir nicht noch was essen? Spaghetti aglio e olio? „Ok. Aber um den Wein kümmer' ich mich.“

Von M bis XL – der Basic-Vorrat, der zu jedem paßt

Be basic – gar nicht so einfach, wenn's um den ewigen Vorrat geht. Und überhaupt: Vorrat? Ewig? Ist das nicht ziemlich von gestern, wenn man sich heute schon an der Tankstelle ein ganzes Candlelight-Dinner besorgen kann? Mag ja mal ganz nett sein, aber auf Dauer können einem Benzol-Romantik oder die tägliche Supermarkttour ganz schön stinken.

Faultiere und andere Genießer legen sich lieber ihren kleinen Grundvorrat an, ganz nach dem eigenen Hunger. Wichtig dabei: Wie oft sitze ich am Eßtisch und mit wem? Ist's nur der kleine Meergeist oder sind's schon mal öfters alle Urlaubsbekanntschaften auf einmal? Und was ist mit dem ganz persönlichen Geschmack? Dazu später.

Wir empfehlen für den Anfang erst einmal den Grundvorrat Größe M wie „muß sein“: alles, was man zum Überleben in einem mitteleuropäischen Haushalt so braucht. Darauf baut Größe L wie „Lust und Laune“ auf: alles, mit dem man dem Leben noch ein bißchen mehr Würze geben kann. Für den Extraluxus gibt's XL wie „extralecker“: alles, was wir sonst noch mögen, auch wenn wir damit vielleicht die einzigen Menschen auf der Welt sind.

Gutes auf Lager

„Die Küche ist der schlechteste Lagerplatz für Lebensmittel.“ Damit hätten wir das Pflichtzitat zum Thema Vorrat schon mal abgehakt. Stimmt ja, mit ihren Dünsten, Düften und schwankenden Temperaturen ist die Kochstation nicht immer der beste Ort für das Aufbewahren von Zutaten. Trotzdem tut's fast jeder dort. Weil es einfach am praktischsten ist. Keller? Weit weg. Speisekammer? Kenn' ich nicht. Das kühle Schlafzimmer? Wer schläft schon gern auf Trockenerbsen.

Fast alles, was nicht aus der Kühltheke kommt, hält auch in der Küche einige Zeit durch. Vorausgesetzt, die Sachen werden nicht zu warm (also tief unten abseits vom Herd), trocken (in gut verschließbaren Gefäßen) und vor allem dunkel (hinter Dosenwänden, dunklem Glas und verschlossenen Türen) gelagert.

Mindestens haltbar bis ...

Bis zum Mindesthaltbarkeitsdatum (MHD) garantieren die Hersteller, daß ihre Produkte nahezu unverändert sind. Oft sind sie aber auch danach noch völlig in Ordnung, nur löst sich etwa der Brühwürfel nicht mehr ganz so schnell auf. Im Grunde gilt: je kürzer die Haltbarkeitszeit, desto kürzer die Nachfrist bis zum Verfallsdatum.

Alles, was man zum Überleben mit Genuß braucht, wie es gelagert wird und wie lange es frisch bleibt.

MHD: Mindesthaltbarkeitsdatum
Hält bis...: So lange schmeckt's
Hält fast ewig: Ist auch nach 1 Jahr in Ordnung

M wie „muß sein"

Zucker, Salz
Halten gut verschlossen fast ewig

Weizenmehl, Reis, Speisestärke
Halten gut und dunkel verschlossen (aber öfter lüften) 1 Jahr, Vollkornmehle kürzer

Grieß, Semmelbrösel
Wie Mehl, aber nur 8 Monate

Haferflocken, Müsli
Halten dunkel und luftdicht 6 Monate

Nudeln
Dunkel lagern. Halten getrocknet 1–2 Jahre

Linsen, Erbsen, Bohnen getrocknet
Dunkel, trocken und luftig fast ewig

Toastbrot
Hält bis MHD, offen 1 Woche

H-Milch
Hält bis MHD, offen gekühlt 3–5 Tage

Kaffee
Hält bis MHD, offen 1–2 Monate, dabei dunkel und möglichst luftdicht

Curry, Muskatnuß, Paprika, Pfeffer, Zimt
Dunkel aufbewahren. Gemahlen 1 Jahr ok

Getrocknete Kräuter
Halten dunkel und trocken 6 Monate

Fertigbrühe und -sauce
Hält als Pulver fast ewig. Würfel 6–8 Monate

Neutrales Pflanzenöl
Hält im Dunklen 1 Jahr, offen etwas kürzer

Standard-Essig
Hält im Dunklen je nach Art fast ewig

Tomatenmark, Ketchup, Senf
Halten bis MHD, offen gekühlt mehrere Wochen

Sojasauce
Hält im Dunklen fast 1 Jahr

Pesto
Hält bis MHD, offen gekühlt gut 1 Monat (immer mit Öl bedeckt)

Kapern, Oliven
Halten bis MHD, offen mehrere Wochen

Gewürzgurken, Sauerkraut
Halten bis MHD, offen gekühlt etwa 2 Wochen

Geschälte Tomaten
Halten bis MHD und länger, offen gekühlt 1 Woche

Thunfisch, Bohnenkerne
Halten bis MHD, offen gekühlt 2–3 Tage

Obst in Dose oder Glas, Konfitüre
Hält bis MHD, offen gekühlt 1–2 Wochen

Honig
Hält im Dunklen fast ewig. Kristallisiert mit der Zeit

Rosinen
Halten dunkel und trocken 1 Jahr

Schokolade, Kakao
Hält bis MHD und länger

Mandeln, Haselnüsse
Halten dunkel und trocken 6 Monate

Puddingpulver
Hält bis MHD und länger

Vanillezucker
Bleibt 1 Jahr lang aromatisch, hält fast ewig

Backpulver
Hält bis MHD und länger

Wein
Dunkel und nicht zu warm. Hält bis mindestens 1 Jahr nach Abfüllung, maximal ewig. Offen 1 Tag bis 1 Woche

Brot
Hält dunkel, trocken und luftig je nach Art 2–10 Tage

Kartoffeln, Zwiebeln
Halten dunkel, trocken, luftig und nicht zu warm 2–3 Wochen

Knoblauch
Wie Kartoffeln, getrockneter auch länger

L wie „Lust und Laune"

Risottoreis
Hält gut und dunkel verschlossen (öfter lüften) 1 Jahr

Corn flakes
Halten bis MHD, offen 1–2 Wochen

Knäckebrot, Biskuits, Kekse
Halten bis MHD, offen luftdicht 1–2 Wochen

Espresso
Hält bis MHD, offen 1–2 Monate. Dabei dunkel und möglichst luftdicht

Getrocknete Chilischoten, Kümmel, Nelken, Wacholder, Cayennepfeffer, gemahlener Ingwer, getrockneter Majoran
Halten dunkel und trocken 1 Jahr

Öl speziell, z.B. Olivenöl
Hält im Dunklen je nach Art 6–12 Monate, offen etwas kürzer

Essig speziell, z.B. Aceto balsamico
Hält im Dunklen je nach Art 6–12 Monate

Tabasco, Worcester- und andere Würzsaucen
Halten dunkel fast ewig

Meerrettich im Glas, Sardellen in Öl, Sardellenpaste
Hält bis MHD, offen gekühlt mehrere Wochen

Mixed Pickles, Peperoni, Rotkraut, getrocknete Tomaten in Öl
Halten bis MHD, offen gekühlt etwa 2 Wochen

Garnelen im Glas
Hält bis MHD, offen gekühlt 2–3 Tage

Mais in Dosen
Wie Garnelen

Apfelmus
Hält bis MHD, offen gekühlt 1–2 Wochen

Trockenhefe
Hält bis MHD

XL wie „extra-lecker"

Polentagrieß
Hält gut und dunkel verschlossen (aber öfter lüften) 6–8 Monate

Fenchelsamen
Hält dunkel und trocken 1 Jahr

Curry-Paste
Hält bis MHD, offen gekühlt fast ewig

Mango-Chutney
Hält bis MHD, offen gekühlt mehrere Wochen

Kokosmilch
Hält bis MHD, offen gekühlt 1 Woche

Kürbiskerne, Pinienkerne
Halten dunkel und trocken 6 Monate

Getrocknete Pilze
Halten dunkel und trocken fast ewig

speck
garnelen
käse
brühe
zitrone
knoblauch
dosentomaten
sojasauce
pesto

die schnellen 17

Die Basics für den letzten Kick

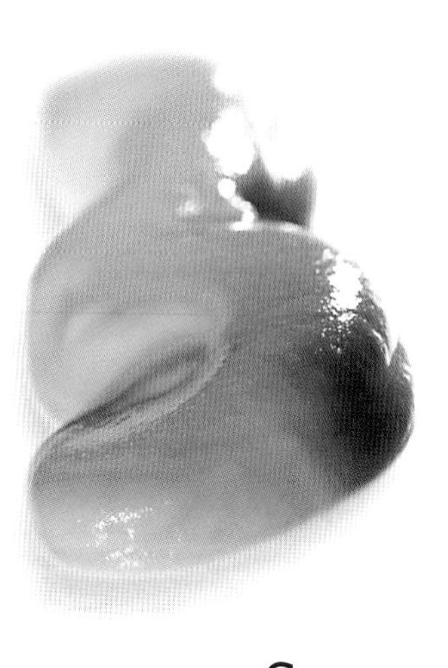

Der Speck

engl. bacon; franz. lard; ital. lardo; bayr. Wammerl
Er stammt aus Bauch, Keule oder Rücken vom Schwein und wird gepökelt und geräuchert. Guter Speck ist fest, nicht zu fett und schmeckt nach Fleisch, Rauch und erst dann nach Salz. Mag man ihn auf Brot essen, ist er richtig gut
Ideen: Gebratener Speck auf Salat • Nudeln in Bratspeck schwenken • Speck braten, Wein dazu = prima Sauce • Speckscheibe aufs Schnitzel und panieren • Hähnchenbrust in Speck wickeln, braten • Auflaufform mit Speck auslegen • Leber, Backpflaumen, Käse mit Speck umwickeln, backen – fixe Tapas!

Die Garnelen

engl. shrimps; franz. crevettes; ital. gamberetti
Die Garnele ist ein Tier von Welt mit vielen Titeln. Hier geht's um die gemeine Cocktailgarnele, gegart und gepult. Frisch gibt es sie fast nur aus der Nordsee, TK-Garnelen sind aber eine gute Alternative, Dosenware die Notlösung. Schmeckt sie gut nach Meer und ist ohne dunklen Darm, ist's ok. Kurzes, sanftes Garen mag sie am liebsten
Ideen: Kartoffelsalat/Bratkartoffeln mit Garnelen • Salat mit in Knoblauchöl gebratenen Garnelen und Brotwürfeln • Bruschetta mit Garnelen, Tomaten, Pesto • Garnelen im Rührei • Spaghetti mit Garnelen • Kalbsteak mit gebratenen Garnelen • Garnelenbutter

Der Käse

engl. cheese; franz. fromage; ital. formaggio
Milch ist seine Basis, aber die kann von Kuh, Büffel, Ziege oder Schaf stammen. Und was daraus wird, kann quarkfrisch oder edelgeschimmelt, cremig weich oder reibehart, buttermild oder griechisch-herb sein. Käse ist für alles gut – wenn er selbst gut, also noch relativ natürlich ist
Ideen: Salatsauce mit Frischkäse • Gemüsegratin mit Hüttenkäse • Röstbrot mit Camembert aus dem Ofen • Käsesauce zu gekochtem Fleisch • geriebener Parmesan zu Spinat oder Möhren • geriebener Emmentaler in die Gemüsesuppe • Spiegelei mit Reibekäse aus dem Ofen • Mozzarella mit karamelisierten Früchten als Nachtisch

Die Brühe

engl. stock; franz. fond, bouillon; ital. brodo
Ob Bouillon, Geflügelbrühe, Fischfond, Gemüse-Extrakt – eine Lieblingsbrühe sollten Basics im Haus haben. Ideal ist ein selbstgekochter TK-Vorrat in Dosen oder, für Kicks, in Eiswürfelform. Aber auch Pasten, Würfel und Pulver wirken fein dosiert wohltuend auf Körper und Seele. Grundrezepte: Seite 66, 78, 80, 82
Ideen: Vinaigrette mit Brühe abrunden • Kartoffeln in Brühe dünsten • Nudeln für Salat in Brühe kochen • Statt Sahne pur auch etwas Brühe an Suppen und Saucen • schnelle Saucen mit Brühe statt Wasser ansetzen • Brühe mit Röstbrot und -zwiebeln • Hühnerbrühe mit Zitrone, sehr belebend

Die Zitrone

engl. lemon; franz. citron; ital. limone
Very basic: gibt's auf der ganzen Welt und im Laden am Eck. Taugt fürs Kochen, Backen, Mixen, Verzieren und sogar zum Spülen. Ihr Saft ist spritzig, hebt das Aroma und hält frisch. Die – unbehandelte! – Schale läßt Süßes wie früher schmecken und möbelt Saucen auf
Ideen: Zitrone am Salat, belebt • Zitronensaft verfeinert Suppe und Sauce • Zitronenschale ins Gulasch • geschälte Zitronenscheiben andünsten, zu Fisch • Zucker mit Zitronensaft karamelisieren, zu Vanilleeis mit Beeren • Zitronenzucker: Schale dünn abschälen und in Zuckerdose geben; intensiver: Schale mit Würfelzucker abreiben

Der Knoblauch

engl. garlic; franz. ail; ital. aglio
Knoblauch ist sinnlich – und bei so manchen verpönt. Bei Basic-Köchen überhaupt nicht, denn er gibt sein Aroma her für alle gesunden Genüsse der Küche. Aber: zu alter Knoblauch, ob vertrocknet oder ausgetrieben, schmeckt fies. Noch fieser: Knoblauchpulver. Korrekt: Knoblauchatem – wenn beide ihn haben
Ideen: Knoblauch in Öl = Aroma tropfenweise • Salatschüssel mit Knoblauch ausreiben • Knoblauch auf Gabel spießen, Rührei damit aufschlagen • Kartoffeln oder Reis mit Knoblauch und Lorbeer garen • Knoblauch als Beilage: im Ganzen wie Folienkartoffeln gegart, Zehen fritiert oder in Wein geschmort • Butterbrot mit frischem Knoblauch

Die Dosentomaten

Unübersetzlich
Manchmal greifen auch Sterneköche zur Dose, etwa zu geschälten Tomaten, die fürs Kochen oft mehr Power haben als frische. Ganz taugen sie fürs lange Garen, in Stücken für schnelle Sachen und als Belag; passierte Tomaten schmecken nicht so stark, Tomatenmark gibt Konzentration
Ideen: Dip aus Butter, Tomatenmark, Parmesan, Knoblauch, Basilikum auf Cräckern • Geschmortes mit geschälten Tomaten, sehr italienisch • Toast mit Salami, Tomatenwürfeln und Mozzarella, statt Pizza • Fisch mit geschälten Tomaten dünsten • Dosen-Bohnenkerne mit Tomatenwürfeln, zum Brathähnchen

Die Sojasauce

engl. soya sauce; franz. sauce soui; ital. salsa soia
So wie einst jede bayerische Gemeinde Bier braute, so hat jedes Dorf Asiens sein eigenes Gebräu aus vergorenen Sojabohnen. Bei den Freaks steht kräftig-dunkle und salzig-helle Sojasauce aus China, würzig-süße aus Indonesien und die helle milde aus Japan im Schrank. Letztere ist absoluter Basic-Standard
Ideen: Asia-Dip aus Sojasauce, Ingwer, Knoblauch • Krautsalat mit Sojasauce • Hühnerbrühe mit Sojasauce • Bratfisch mit Sojasauce einreiben • Grillfleisch mit Sojasauce marinieren • Pilzpfanne mit Sojasauce • Eierkuchen mit Sojasauce

Der Pesto

Unübersetzlich
Einst würzten nur die Mammas Liguriens mit der Paste aus Basilikum, Knoblauch, Pinienkernen, Olivenöl, Parmesan und/oder Pecorino, heute ist sie Kult von Hamburg bis Sydney. Je mehr die Zutatenliste von gekauftem Pesto dem Original entspricht, desto besser – und teurer – ist es. Das Basic-Rezept steht auf Seite 89
Ideen: Kartoffel- oder Nudelsalat mit Pesto • Pesto aufs Tomaten-Mozzarella-Sandwich • Gnocchi mit Pesto • Bohnen-Tomaten-Suppe mit Pesto • gegrillte Aubergine mit Pesto • Brathähnchen mit Pesto einreiben • Kochfleisch oder kalter Braten mit Pesto • Frischkäse mit Pesto, getrennt als Happen, gemischt als Dip

die schnellen 17

Die Basics für den letzten Kick

Der Aceto balsamico

Unübersetzlich
Guter Balsamico ist lange gereifter Traubenmost, der beste ist minimal zwölf Jahre alter „tradizionale". Aber auch gute Normalos haben den süßen, vollen Essigton, der Balsam für Zunge, Salat und viel mehr ist. Der Preis dafür: Er kostet mehr als andere Essige. Wenn nicht, schmeckt er auch nicht viel anders als andere
Ideen: Bruschetta mit Parmesan und Balsamico-Spritzer • feingeschnittene Pilze mit Balsamico • Steak-Bratsatz mit Balsamico ablöschen • Weißweinsauce mit Balsamico vollenden • Kartoffeln mit Balsamico schmoren • Erdbeeren mit Balsamico und Basilikum

Der Curry

Unübersetzlich
Don't worry, take curry. Ist der nämlich gut, also scharf und voller Duft, belebt er (die Paste mehr als das Pulver) und verleiht vielen Speisen seinen orientalischen Zauber. Die Basics der berühmtesten Gewürzmischung der Welt: Kurkuma (macht gelb), Nelken, Kardamom, Koriander, Kreuzkümmel, Paprika, Muskat, Zimt – und Chillie je nach Schärfe
Ideen: gegarten Reis mit Curry bestreuen, duftet und schmeckt • Fischsuppe mit Curry und Kokosmilch • Tomatensuppe mit Curry • Curry ans Lamm, schmeckt toll • Curry-Joghurt-Marinade für Grillfleisch • Blumen- und Weißkohl, Möhren oder Zucchini mit Curry dünsten

Die Kapern

engl. capers; franz. câpres; ital. capperi
Kapern werden gehaßt oder geliebt, sonst nichts. Wer die Knospen des Kapernstrauches liebt, weiß, was Glück ist: In Lake oder in Salz halten sie ewig ihre spezielle Würze bereit, die Edles etwas animalisch und Rustikales ganz besonders schmecken läßt. Je kleiner die Kaper, je feiner ist sie. Winzige „Nonpareilles" sind fast Kaviar, Kapernäpfel mit Stiel taugen für den Tapas-Teller
Ideen: Vinaigrette mit Kapern • Kapernbutter mit Knoblauch, Petersilie, Zitronenschale • Quark mit Pesto und Kapern • Tomatensauce mit Kapern und Thunfisch • Geschnetzeltes in Kapern-Senf-Sahne • Lachstatar mit Kapern

Der Toast

Unübersetzlich
Wir wissen, daß Ihr Ernährungsberater den nicht gerade empfiehlt. Aber sicher ist auch: Toast kann vor dem Hungertod retten. Scheibchenweise liegt er im Tiefkühler stets bereit, ein Toaster macht ihn sofort lebendig, nur so an der frischen Luft dauert's ein paar Minuten länger. Aber dann: Let's go. Darauf einen Toast
Ideen: Toastwürfel in Butter knusprig braten, Croûtons für Salat • Spaghetti mit Knoblauch-Croûtons • Blitzauflauf: Toastwürfel, Schinkenstreifen und Ei mischen, im Ofen backen • Sehr fein: mit Toastbröseln panieren • Toast in süße Eiermilch tauchen und braten

Die Petersilie

engl. parsley; franz. persil; ital. prezzemolo
Kraus sorgt sie noch vereinzelt auf kalten Platten für Lacher, glattblättrig aber wird sie als der bekannteste Geheimtip Deutschlands gehandelt: „Der Pedro macht ein Petersilienpesto, göttlich!" Stimmt. Und deswegen ist sie auch unser grünes Top-Model. Ebenfalls lecker: die weiße Wurzel. Und: Auch krause Petersilie kann schmecken
Ideen: Petersiliensalat mit Kirschtomaten • Scharfes Apfelchutney mit Petersilie • Petersilienpesto (S. 89) zu fritierten Petersilienwurzelscheibchen • Petersilienrahmsuppe, auch mit Wurzel • Asia-Suppen mit Petersilie • Petersiliengnocchi • Spinat und Petersilie, halb & halb als Beilage

Der Honig

engl. honey; franz. miel; ital. miele
Honig ist natürliche Süße mit viel Aroma, das je nach Herkunft unterschiedlich ist – von der harzigen Note des Waldhonigs bis zum eher neutralen Basic-Honig von Kleewiesen. Erhitzter Honig ist nur noch süß, weswegen kaltgeschleuderter besser schmeckt und teurer Honig zum Kochen Verschwendung ist
Ideen: Rohkost mit Ingwer-Honig-Sahne • Rotkrautsalat mit Honig-Vinaigrette • Überbackener Ziegenkäse mit Honig • Chicken wings mit Honig-Soja-Marinade • Specktoast mit Honig • Honigsenf mit Dill, zu Garnelen • Schlagsahne mit Waldhonig, zu Himbeeren

Die Schokolade

engl. chocolate; franz. chocolat; ital. cioccolata
Das dunkle Glück zum Anbeißen strahlt auch in der süßen Basic-Küche. Selbst wenn man die nicht so mag: Schokolade ohne Milch ist ideal zum Backen und Kochen, weil reiner (mind. 50% Kakaomasse, besser noch mehr). Noch idealer: die fettere Kuvertüre. Auch gut: reines Kakaopulver
Ideen: Sahne mit Schokolade erhitzen, kalt steif schlagen • Kuvertüreröllchen mit dem Sparschäler • Schokostückchen im Teig • Kakao mit der Lieblingsschokolade machen • Erdbeeren in geschmolzene Schokolade tauchen • Kakao in den Pfannkuchenteig • Nudeln in süßer Vanillemilch kochen, Schokolade dazu

Der Senf

engl. mustard; franz. moutarde; ital. mostarda
Wie bei Honig und Sojasauce gibt's auch beim Senf viele Spielarten mit wenigen Grundtönen. Basic ist der eher milde Delikateß-Senf, reiner und kraftvoller ist aber scharfer Senf. Der Süße aus dem Süden ist was für Liebhaber, der körnige Rotisseur-Senf veredelt vor allem kalte Sachen
Ideen: Salat mit Äpfeln und Senf-Sahne • Dip aus scharfem Senf, Mixed Pickles und Crème fraîche, zu kaltem Braten • Räucherlachsröllchen mit Senf • Würstchenscheiben mit Rotisseur-Senf und Schnittlauch mischen, auf Baguette • Kochfleisch oder frischen Fisch mit Senf bestreichen, in Mehl wenden und braten

Essen machen

„Ich koch' mir was!"

Fragt sich nur wie.

Nehmen wir mal Kartoffeln. Die kann man kochen. Mit Schale oder ohne, in Wasser oder in Brühe. Man kann sie aber auch braten, und zwar in Scheiben, in Würfeln, im Ganzen, roh oder gekocht. Und man kann sie backen. Und schmoren. Und grillen, dämpfen, dünsten, fritieren, gratinieren. Ja Hilfe, das klingt nicht nur nach Arbeit, das klingt nach viel Arbeit.

Be basic. Alles auf einmal geht sowieso nicht, und das Ziel ist immer dasselbe: Etwas Rohes so heiß zu machen, daß es sich besser essen läßt und besser schmeckt. Dabei spielen Wasser, Strom und Gas die Hauptrolle. Wasser kann geschmeidig machen und durchdringen oder verwässern und auslaugen. Energie sorgt für Tempo – zuviel Energie sorgt für den rauchenden Crash. Viel Wasser und wenig Energie ist sanftes Kochen für den zarten Biß. Kein Wasser und viel Energie ist kurzes Braten für die knusprige Kruste. Zwischen diesen Polen liegt die Welt des Essenmachens. Herzlich willkommen.

Stark Kochen

Das heißt: Energie und Wasser satt. Weil die Sachen in kurzer Zeit ganz ordentlich Hitze und Feuchtigkeit brauchen, um gar und gut zu werden. Wie Nudeln zum Beispiel. Oder Broccoli.

Drei Dinge braucht der Kochtopf

Die Familienpackung Spaghetti oder doch nur das Frühstücksei, drüber oder drunter geht es beim Kochen selten. Dafür, und für alles, was dazwischen liegt, reichen im Grunde zwei Töpfe: einer für die kleine Platte, in den gut 1 Liter Wasser paßt, und einer mit 4–5 Litern Platz für die große Platte. Wer öfters kocht und weniger gern spült, wird noch zwei Zusatztöpfe schätzen: den hohen Kleinen für gut 2 Liter Suppe und den flachen Großen für gut 3 Liter voller Kartoffeln.

Fürs starke Kochen sind teure Spezialteile nicht wichtig. Weil's aber im Basic-Topf nicht nur beim Kochen bleibt, sollte es auch nicht die erstbeste Blechbüchse sein. Edelstahl ist immer gut, auch ein emaillierter Topf kann lange halten. Ein schwerer Boden ist gut, denn der kriegt nicht so schnell Macken, die beim Garen für lästige Brennpunkte sorgen können. Wichtig ist, daß der Topf auf die Platte paßt, weil nur dann die Hitze optimal verteilt wird. Gute Griffe halten lange fest und vertragen auch Backofentemperaturen, ohne selbst gleich bei kleiner Hitze zu glühen. Und ein guter Deckel muß fest sitzen, damit die Hitze im Topf bleibt.

Was gehört noch zum Kochen? Ein Kochlöffel zum Umrühren, ein Schaumlöffel zum Herausheben und ein Sieb zum Abschütten von größeren Mengen. Und Salz.

Ordentlich Salz

Stark gekocht wird meist in Salzwasser. Für feinen Fond ist die Garzeit einfach zu kurz, um sich der Nudel groß mitzuteilen. Vor allem beim Blanchieren (wird gleich erklärt) muß ordentlich Salz in den Topf, damit das Gargut genug davon abbekommt. Zum Schluß noch ein Trick: Wasser aufkochen, das Rohzeug hinein und dann erst das Salz – dann kocht alles schneller wieder.

Ins Kochwasser

Ein Koch brät schon mal ein Schnitzel, und ein Kochbuch darf auch Rezepte für Rohes bieten. Doch hier geht's ums einzige und wahre Kochen in 100 Grad heißem, sprudelndem Wasser. Das Ziel: durch und durch Gegartes mit Biß und ohne Kruste. Der Weg: reichlich naß, ziemlich heiß und möglichst kurz. Was dabei passiert: Bei Nudeln quillt und verkleistert die Stärke bis zum richtigen Biß, beim Gemüse lockert sich die Zellulosestruktur, bei beiden schließt die Hitze Aromen auf, und Salzwasser sorgt für durchgängigen Geschmack. Wer aber zu lange kocht, macht Festes weich und Gutes geschmacklos. Außer beim Ei: Das geht beim Kochen von flüssig in fest über, und so bleibt's auch nach einer Stunde.

Ein echter Nachteil beim starken Kochen ist, daß sich Nährstoffe und Aroma im Wasser verlieren können. Natürlich könnte man auch Dünsten, aber das kann bei Empfindlichem noch mehr Geschmack kosten. Dann lieber mit so viel Wasser kochen, daß es beim

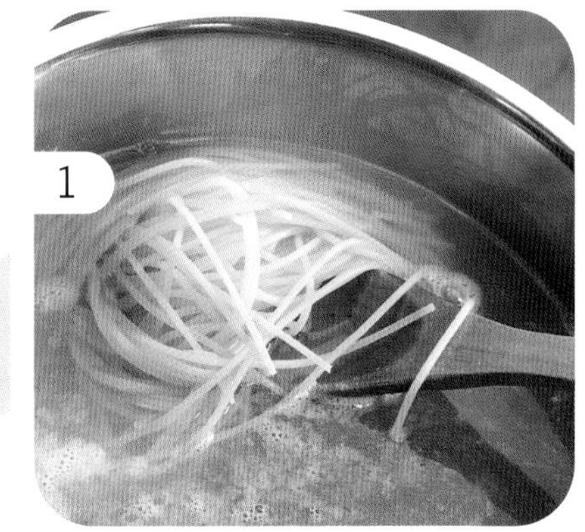

Einwerfen nicht zu sprudeln aufhört und die Sache damit schnell erledigt ist (z. B. zarte Zuckerschoten). Wichtig ist auch, daß die Stücke gleichmäßig in Größe und Struktur sind.

Nudeln kochen

1 Liter Wasser pro 100 g Nudeln in einem dreiviertelvollen Topf aufkochen, dann Nudeln ins Wasser, Salz dazu (1 gehäufter TL pro Liter) und kräftig rühren – am Anfang klebt's besonders gern. Das Wasser muß gleich wieder kochen, dann ist mittleres Sprudeln angesagt. Aber bitte ohne Deckel und ab und zu rühren (1).

Wann Schluß ist, kommt auf Sorte und Hersteller an, der die Kochzeit auf die Packung schreibt. Normal sind 8 bis 13 Minuten. Am Ende muß aber öfters probiert werden: Nudel aus dem Wasser fischen und reinbeißen (2). Gibt's zuviel zu beißen – weiterkochen. Hat sie nur noch einen leichten Kern – alles ins Sieb.

Italiener mischen sie jetzt sofort mit Sauce in der warmen Schüssel und stellen sie auf den Tisch – da braucht's keine Kaltwasserdusche. Zur Not kurz(!) heißes(!!) Wasser darüber laufen lassen. Aber im Grunde gilt: Gäste und Sauce können warten – Nudeln nie. Und was sie auch nicht mögen, sind kalte Teller. Tip: kurz vor Schluß je einen großen Schöpfer Nudelwasser in die Teller. Aber das Ausschütten später nicht vergessen.

2

Kartoffeln kochen

Für Pellkartoffeln die Knollen gründlich mit Wasser und Bürste reinigen und in kaltem Salzwasser aufsetzen. Dann zugedeckt zum Kochen bringen und je nach Größe in 20 – 30 Minuten leicht sprudelnd bißfest garen. Nun die „Pellkas", mit kaltem Wasser abschrecken und nochmal für 1 Minute zum Ausdampfen auf den Herd stellen. Dann die Knollen noch heiß pellen.

Für Salzkartoffeln die gewaschenen Knollen schälen, dunkle Stellen entfernen. Dann werden sie in möglichst gleichmäßige Stücke geteilt. Jetzt schnell damit in einen Topf mit kaltem Salzwasser, flott zum Kochen bringen und zugedeckt je nach Größe in 15 – 20 Minuten leicht sprudelnd bißfest garen. Dann abgießen und ausdampfen lassen (aber nicht abschrecken!).

3

Gemüse kochen

Zum Garkochen werden die gleichmäßig großen Stücke (z. B. Bohnen, Broccoliröschen, Spargelstangen) in reichlich Salzwasser geworfen und je nach Sorte bißfest gegart. Dann ins Sieb abgießen oder, bei empfindlichem Gemüse, mit der Schaumkelle herausheben, gut abtropfen lassen.

Besonders fix geht das Blanchieren: Da bleiben die Stücke nur so lange im Kochwasser, bis sie gerade etwas angegart sind, und wandern dann direkt in eiskaltes Wasser, am besten mit Eiswürfeln (3). Der Kälteschock läßt ihre Farben strahlen und hält die Konsistenz, nimmt allerdings auch etwas vom Geschmack. Ist aber ein Muß bei Gemüse für Auflauf, Gratin oder Quiche.

Sanft Kochen

Die sanfte Tour im Kochtopf bringt Extreme zusammen - denn es sind die edelsten und grobsten Stücke vom Tier, die das Garen knapp unter der 100-Grad-Grenze am liebsten mögen: Filet und Beinfleisch. Hähnchenbrust und Suppenhuhn. Fisch. Knödel.

Töpfe für Kleinzeug und große Stücke

Im Grunde braucht's zum sanften Kochen keine anderen Töpfe als zum starken Kochen. Nur passen sollten sie. Das heißt, die Stücke dürfen nicht an den heißen Rand stoßen, sich aber auch nicht im Sud verlieren. Für die pochierte (Erklärung kommt noch) Hähnchenbrust reicht da schon der kleine Stieltopf zum Milchkochen. Die gargezogene (kommt auch noch) Ochsenbrust oder der Satz Knödel für die Verwandtschaft brauchen da schon mehr Platz, ab 5 Liter aufwärts.

Da sanft Gekochtes auch sanft angefaßt werden möchte, zählt vor allem bei Fisch: Er gart am besten knapp bedeckt in einem eher flachen Topf, so daß man später gut an ihn herankommt. Wer öfter Größeres vorhat und dann gleich einen ganzen Fisch sanft zubereiten will, ist mit einem länglichen Fischtopf gut bedient – auch gut zum Dämpfen oder Spargelkochen.

Noch mehr als beim Braten ist beim sanften Kochen die Fleischgabel tabu. Mit der Schaumkelle für die großen Stücke und einem Heber mit ein paar Löchern darin bleibt alles heil (1). Und damit später auch die gute Brühe genossen werden kann, sind Schöpfkelle und ein feines Sieb wichtig.

Gut Sud

Auch sanfte Köche kochen meistens nur mit Wasser, zumindest wenn sie Großes wie ein Suppenhuhn lange garen. Dann kommen erst im Laufe der Zeit Gewürze, Kräuter und Suppengrün dazu. Für den kurzen Prozeß ist es besser, schon vorher einen Sud zu kochen. Für Fisch zum Beispiel aus Wasser, Wein, Zwiebeln, Suppengrün, Lorbeer, ein paar Pfefferkörnern – sowie Saft und Schale der guten Zitrone.

Pochieren und Garziehen

„Kochen ohne zu kochen" hat Auguste Escoffier das sanfte Kochen genannt, und der erste Starkoch der Welt war ein wenig verzweifelt darüber, dieser Methode nicht eine genauere Beschreibung geben zu können. Sie bewegt sich also irgendwo zwischen Wallen und Simmern, Sieden und gerade eben Köcheln. Nur bitte keine 100 Grad im Topf, denn das hieße: Kochen. So heißt's Pochieren für die zarten, kleinen, schnell gegarten Stücke und Garziehen für die großen Teile. Erste Hilfe: eine Tasse mit kaltem Wasser griffbereit neben den Herd stellen – wenn's doch mal aufkocht, schnell ablöschen.

Die Tiefsttemperatur liegt dabei bei 80 Grad, weil: darunter wird's eher schlecht als gar. Immer schlecht ist es, wenn die Gradzahl sich auf über 95 gefährlich dem Siedepunkt nähert. Denn wenn stark kocht, was sanft garen soll, löst sich beim Fleisch das Bindegewebe

zwischen den Fleischfasern sofort auf, und diese werden auseinandergezerrt und ausgelaugt – am Ende hat man nur noch geschmacklose, zähe Faserigkeit im Mund. Knapp unter 95 Grad aber: saftiges, kompaktes Siedfleisch.

Noch ärger ist's beim Fisch, der zerfällt sofort in kochendem Wasser und wird strohtrocken. Es zählt also, schnell die richtige Temperatur zu erreichen und diese dann zu halten.

Suppenfleisch garziehen

2 kg Rindfleisch sollten es schon sein, damit sich die lange Garzeit auch lohnt und zum Schluß noch ordentlich gute Brühe übrigbleibt. Wer schon mal 1 Stunde vorher ein paar Rindsknochen mitgekocht hat, macht Fleisch und Brühe noch besser. Das Fleisch: Am besten sind dafür die Stücke aus Brust, Rippe sowie Teilen der Schulter und der Keule (Tafelspitz!).

Jetzt ist es eigentlich ganz einfach: Das Wasser (je Kilo gut 2 Liter, kein Salz) wird sanft mit einer Zwiebel oder auch etwas Knoblauch aufgekocht, das Fleisch kommt hinein, und jetzt muß der Herd so eingestellt werden, daß der Sud nicht blubbert, aber trotzdem ein klein bißchen Bewegung an der Oberfläche ist. Wenn das nach etwa 20 Minuten passiert und der Herd für die nächsten 2–3 Stunden eine echte Vertrauensstellung einnimmt, ohne plötzlich wie wild zu kochen, wird alles gut: außen nachgiebig auf Fingerdruck, innen zart und saftig. Gesalzen wird auf dem Teller.

Wer dazu Gemüse mag, tut in der letzten Stunde Suppengrün dazu, wem die Brühe mehr am Herzen liegt, macht das noch eine Stunde früher, gemeinsam mit den Pflichtgaben Lorbeer, Nelken, Pfefferkörnern.

Beim Geflügel ist es im Grunde genauso, mit zwei Ausnahmen: Beim Reingeben darf das Wasser nicht kochen (dann reißt die Haut, und das Fleisch außen wird trocken), und es dauert je nach Größe nur $1-1^1/_2$ Stunden.

Fisch pochieren

Je mehr Fisch noch in Haut steckt und so vor dem Auslaugen geschützt ist, desto besser schmeckt er nach dem Pochieren. Deswegen sind ganze Fische besonders gut dafür geeignet oder dickere Koteletts wie der Klassiker vom Schellfisch. Aber in einem kräftigen Sud (wie's gehen kann, steht links) wird auch das beliebte Filet sehr lecker.

Dazu wird der Sud aufgekocht und vom Herd gezogen. Sobald Ruhe im Topf herrscht, den Fisch einlegen – nicht zu eng, nie aufeinander und nur so viele, daß der Sud nicht zu sehr abkühlt (2). Jetzt den Topf wieder auf den Herd und den Fisch pochieren. Dabei tut sich zwar etwas im Sud, aber nur unter der Oberfläche, die selbst ganz ruhig ist. Je nach Dicke kann dann nach 2–5 Minuten gegessen werden. Auch zartes Fleisch wie Hähnchenbrust oder Filet kann so gegart werden – dauert natürlich etwas länger.

Große ganze Fische wie ein Karpfen werden im kalten Sud aufgesetzt, damit sich die Hitze gleichmäßiger verteilt, kleinere wie Forellen in heißem Sud. Dann dauert es ab dem Pochieren noch 5–8, bei dickeren Brocken auch schon mal 10–20 Minuten.

Dünsten & Dämpfen

Alles was zart ist, mag das: Mit wenig bis gar keiner Flüssigkeit garen, damit der ganze Geschmack auf den Teller kommt. Bestens für Gemüse und Fisch.

Garen auf zwei Etagen

Beim Dünsten ist der Deckel wichtiger als der Topf. Er muß so gut schließen, daß ihm praktisch nichts auskommt und so im ständig feuchtwarmen Klima darunter die Aromen zueinanderfinden. Der Topf selber? Einfach ein Kochtopf, der weit genug ist, damit nicht zuviel aufeinander liegen muß und so alles gleichmäßig garen kann.

Im Grunde tut es so ein Topf auch beim Dämpfen, wenn man noch eine Kaffeetasse samt Unterteller im Haus hat (mehr darüber auf der nächsten Seite). Aber echte Dampfgarer nehmen lieber das Dampftopfdoppel: unten ein flacher Topf, auf den exakt ein zweiter paßt, mit Löchern im Boden und einem festsitzenden Deckel. So dampft's dann oben, wenn es unten kocht. Günstiger sind Dämpfeinsätze für den Kochtopf sowie Bambusdämpfer aus dem Asienladen, die in den Wok oder in einen weiten Topf gesetzt werden. Zur Not hilft auch mal das Nudelsieb – aber nur das ohne Stiel, damit der Deckel auch schließt.

2

Ein bißchen flüssig

Beim Dünsten herrscht Geben und Nehmen: Die Flüssigkeit gibt dem Gargut Hitze und meistens Aroma, das Gargut gibt dafür ans Flüssige Nährstoffe und immer Aroma. Zum Dank darf beides auf den Teller. Je intensiver die Flüssigkeit, desto größer ist dabei der Genuß. Sie kann Mineralwasser sein (echte Snobs haben ihre Hausmarke), Brühe, Wein oder Sahne und Sauce. Beim Dämpfen ist Leitungswasser Standard, aber intensive Kräuter und Gewürze geben auch hier Aroma.

In Dunst und Dampf

So ganz klar ist die Sache mit dem Dünsten ja nicht. Ist das nun mehr ein Kochen oder ein Dämpfen, am Ende gar ein Schmoren? Be basic: Der Witz ist, daß hier mit weniger Flüssigkeit länger und sanfter gegart wird. Ein paar Vitamine und Aromen verkraften das zwar nicht so gut, doch dafür gibt es den Dünstsud mit dazu. Und der hat sich beim Garen mit Gemüse oder Fisch so rege ausgetauscht, daß am Ende kräftig Geschmack mit Gehalt übrigbleibt. Ist auch noch Fett im Spiel, schmeckt es fast schon zum Reinsetzen.

Beim Dämpfen ist die Sache klarer. Wasser kocht, aber die Zutaten kriegen nur den Dampf ab. Der Vorteil: purer Geschmack, fast nichts geht verloren im Kochwasser. Für Aromafreaks ist das allerdings eher ein Nachteil. Manche glauben auch nicht, daß Dampf schont, weil

3

man sich an verdampfendem Wasser noch gemeiner verbrennen kann als an kochendem. Stimmt schon, und es stimmt auch, daß Dämpfen länger dauert als Kochen. Trotzdem: Was Hitze und Garzeit zum Opfer fällt, ist weniger als das, was beim Kochen im Sud verschwindet.

Gemüse dünsten

Fast jedes Gemüse läßt sich dünsten, mit Ausnahme von den besonders harten wie getrockneten Hülsenfrüchten. Wichtig ist, daß die Stücke gleich groß sind. Wenn alles gut läuft, ist am Ende des Garens der Sud zu einer konzentrierten Essenz geschrumpft, die sich mit bißfestem Gemüse verbindet.

Je nach Garzeit wird daher mehr oder weniger Flüssigkeit zugegeben: Möhren werden knapp bedeckt (1), Spinat kommt nur mit dem Waschwasser an den Blättern in den Topf. Der Deckel obendrauf ist Pflicht, dann wird bei sanfter Hitze langsam gedünstet. Ist der Topf kompakt gefüllt, muß öfters gerührt und geschüttelt werden, damit an jedes Stück Sud und Dunst kommen können.

Was Feines ist glaciertes Gemüse. Das wird mit Zucker und Butter gedünstet, einige Minuten vor Schluß kommt der Deckel weg, und es wird flott eingekocht, bis alles mit glänzendem Siurp überzogen – glaciert – ist. Wer mag, kann zum Schluß noch ein bißchen frische Butter drunterrühren. Himmlisch bei leicht süßlichen Gemüsen wie Weißkraut oder Möhren. Auch de luxe: mit Sahne dünsten, schmeckt mit Schlichtem wie Lauch oder Kohlrabi oft am besten.

Fisch dünsten

Gut $^1/_4$ l Fischfond oder den Sud fürs sanfte Kochen (Seite 22/23), $^1/_8$ l Weißwein und ein paar Zwiebelringe 2 Minuten in einem weiten Topf kräftig kochen lassen, so daß der Boden etwa fingerbreit bedeckt ist. Die Zwiebeln rausfischen, gesalzene Filets oder kleinere ganze Fische nebeneinander hineinsetzen.

Jetzt alles auf sanfte Hitze stellen und abdecken – mit einem Deckel oder (Trick!) mit gebutterter Alufolie direkt auf dem Fisch. Oder mit dem Papier vom Butterpäckchen (Schwabentrick!). Je nach Größe ist das Filet in 2 – 6 Minuten gar, ganze Fische in maximal 10 Minuten. Dann noch ein bißchen Crème fraîche in den Sud, und fertig ist das Sößchen. Für die XL-Version („extralecker") kann zuvor auch noch gleich das Gemüse zum Fisch mitgedünstet werden.

Gemüse dämpfen

Wichtig ist, daß das Kochwasser nicht zu nah ans Gargut reicht. Tut es das nicht, darf es richtig kochen, damit sich ordentlich Dampf unter dem Deckel bildet. Große, kompakte Haufen von Gemüse sind dabei tabu, weil der Dampf dann nicht überall hinkommt. Überm Dampf dauert das Garen etwa ein Drittel bis die Hälfte länger als beim normalen Kochen. Und gewürzt wird erst zum Schluß.

Fisch dämpfen

Das geht am besten in den Bambusdämpfern der Asiaten (gibt's auch schon in deutschen Kaufhäusern). Die werden oft mit Salat- oder Chinakohlblättern ausgelegt, darauf kommen Kräuter und Gewürze, darauf der gewürzte Fisch – am besten im Ganzen, wobei er dann an den Seiten eingeschnitten wird (2). Aber auch Filets sind möglich.

Dann in einem Wok oder großen Topf Dampf machen und den abgedeckten Dämpfer hineinsetzen. Nach 15 – 20 Minuten ist ein Fisch von etwa 600 g gar, Filets brauchen 5 – 6 Minuten. Noch was? Ach ja, der Tassentrick für Gelegenheitsdämpfer (3): Kaffeetasse umgedreht in einen Topf mit ein bißchen kochendem Wasser stellen, Teller mit Fisch drauf, Deckel zu und dämpfen. Very basic!

Kurz Braten

Wer sein Stück Fleisch oder Fisch rasch schön knusprig haben will, brät es sich in der Pfanne. Die ist aber auch gut für Gemüse, Nudeln oder Ei – und natürlich für Bratkartoffeln.

Zwei Pfannen, ein Wender

Zwei Pfannen braucht es für die Basic-Küche: eine für leichte, empfindliche Sachen, eine für die härteren Brocken. Leichtere Sachen wie Fisch, Gemüse oder Eierspeisen gelingen am besten in der beschichteten Pfanne. Da gibt es reichlich Modelle mit vielen Namen und Siegeln, der Zweck ist aber stets der gleiche: Was reinkommt, soll auch wieder rauskommen, kurz, nichts soll hängenbleiben. Das klappt bestens, wenn die Pfanne gut behandelt wird. Rühren mit Metall und Reinigen mit dem Drahtschwamm sind keine gute Behandlung, weil das schnell Kratzer in der Beschichtung gibt. Noch wichtiger ist aber, das gute Stück nicht zu stark zu erhitzen. Jenseits der mittleren Stufe oder bei gut über 220 Grad im Backofen geht der Haftschutz für immer verloren, und da springt auch die serienmäßige Drei-Jahres-Garantie nicht mehr ein. Was noch? Vielleicht das, daß ein schwerer Boden die Hitze besser hält und sich auch nicht so leicht verbiegt.

Wenn ein Steak so richtig angebraten werden soll, dann braucht es reines Metall, die unbeschichtete Pfanne. Profis verwenden Eisenpfannen, im Haushalt ist es meist Edelstahl mit schwerem Boden. Inzwischen gibt's aber auch andere Legierungen. Unbeschichtete Pfannen geben sich erst nach dem Braten richtig sensibel: Schwamm und Spülmittel nehmen sie sofort übel, weil das den mit der Zeit entstandenen Fettfilm zerstört. Auswischen (nur falls nötig, mit Wasser) und Einfetten hält sie am Laufen. Wenn eine Metallpfanne mal richtig „rennt", kann sie ein echtes Liebhaberstück werden. Das hat allerdings seinen Preis.

Wer jetzt aber sein Steak mit der Fleischgabel wendet, hat trotzdem verloren – nämlich den guten Fleischsaft. Besser dreht es sich mit dem flachen Pfannenwender oder schlicht mit dem Eßlöffel.

Gut fett

Auf die sanfte Tour – etwa bei Rührei oder Fisch – brät es sich gut in Butter oder Margarine. Butterschmalz verträgt etwas mehr Hitze. Wenn es richtig heiß wird, ist hocherhitzbares Pflanzenfett am besten geeignet. Ein Stück Butter oder ein Schuß Olivenöl zum Schluß kann dann immer noch Geschmack geben.

Aufs Feuer

Was passiert beim kurzen Braten? Das Stück bekommt direkt starke Hitze. Sofort gerinnt Eiweiß, und außen bildet sich eine schützende Haut, die später zur Kruste werden kann. In ihrem Inneren gart es langsam und gleichmäßig. Und am Ende liegt ein würziges Steak mit rosa Kern auf dem Teller.

Zwei Sachen stören beim Braten: Rauch und Wasser. Rauch entsteht, wenn die Pfanne zu heiß wird. Schnell zu beheben. Wenn dagegen zu kalt gebraten wird, bildet sich die schützende Haut zu spät, um die Flüssigkeit im Stück zu halten. Dann kocht's in der Pfanne statt zu braten, und Fleisch und Fisch werden trocken.

1

Klingt schrecklich. Und läßt sich vermeiden. Dazu zuerst die Pfanne trocken erhitzen. Nun das Fett hineingeben, so wird es schnell heiß, ohne zu verbrennen. Zischt es beim Einlegen der Stücke satt und sanft zugleich, stimmt die Hitze. Am besten mit einem kleinen Stück testen. Ist zuwenig in der Pfanne, kann es schnell verbrennen. Bei einem Zuviel kommt der bekannte Effekt: zu kühl, zuviel Flüssigkeit, zu trocken.

4

Fischfilets braten

Vor dem Braten wird der Fisch kalt abgespült, trockengetupft und gesalzen. Zitrone kann sein, muß aber nicht. Wird das Filet noch in Mehl gewendet, gibt das später eine leichte Kruste und etwas Halt.

Dann das Fett in einer beschichteten Pfanne auf mittlerer Stufe erhitzen und das Filet mit der schönen Seite nach unten einlegen, damit sie nach dem Wenden oben liegt. Nun das Filet 1 knappe Minute braten, bis es unten gebräunt ist, und wenden. Jetzt noch 1 knappe Minute weiterbraten, dabei mit dem Löffel etwas Bratfett darüber schöpfen.

Sobald das Filet auf Fingerdruck nachgibt, raus damit. Wenn man denkt, es könnte noch ein bißchen in der Pfanne bleiben: trotzdem raus damit. Denn Fisch brät immer schneller, als man denkt. Nur dicke Stücke, etwa vom Lachs, brauchen etwas länger.

Steaks braten

Um ein Steak zart zu braten, muß es dick genug sein. Zwei Zentimeter sind Minimum, beim Filetsteak können es auch drei bis vier sein. Gewürzt wird mit Salz und Pfeffer. Klassisch nach dem Braten. Wer's direkt vorher tut, macht aber auch nichts falsch.

Das Fett wird in der unbeschichteten Pfanne ordentlich erhitzt, ohne daß es raucht. Dann die Steaks rein – es muß gut zischen. Jetzt 1 knappe Minute braten, wenden, noch 1 Minute braten und dann ein paar Minuten zum Entspannen neben den Herd stellen. Nun auf mittlerer Stufe unter öfterem Wenden weiterbraten (1–3). Das geht bei dickeren Steaks auch im 225 Grad heißen Ofen – da garen sie schön gleichmäßig. Nach 6–8 Minuten in der Pfanne ist ein 150 g schweres Schweinenackensteak durchgebraten, ein 200 g schweres Rindersteak kann dann rosa serviert werden.

Noch zarter wird das Steak, wenn es nach dem Braten nochmals ein paar Minuten in Alufolie (4), zwischen vorgewärmten Tellern, oder im Backofen bei 50 Grad entspannen kann.

2

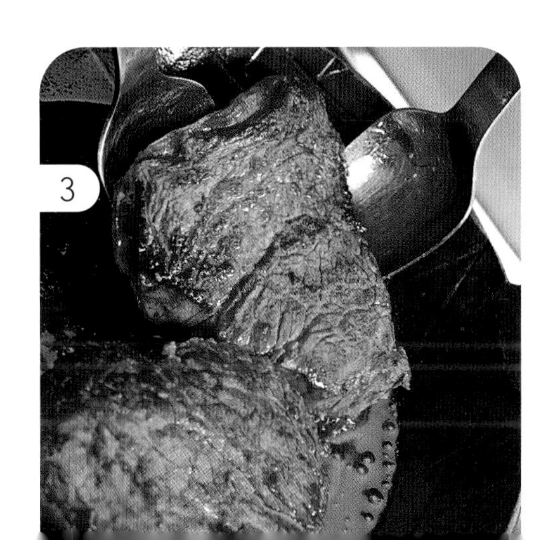
3

Lange Braten & Schmoren

Hier geht es vor allem um Fleisch, und da vor allem um viel Fleisch und da erst einmal um nicht so zartes Fleisch. Denn das wird erst nach längerer Zeit im Bratrohr oder Schmortopf so richtig gut.

Schwermetall für gutes Garen

Wer sich die Zeit leistet, lange zu braten oder zu schmoren, der geht schon mal in die vollen. Lädt eine Reihe netter Menschen ein, packt die Schweineschulter in den Ofen und legt sich dann noch mal ins Bett. Ausnahmsweise braucht es dann schon ein wenig mehr als den Basic-Kochtopf. Aber das Rolls-Royce-Modell zum Preis eines ganzen Ofens muß es nicht sein.

Das richtige Stück für solche Veranstaltungen ist ein länglicher schwerer Bräter mit Deckel und stabilem Boden, in dem ein Braten Platz hat und in dem sich auch für länger gut schmurgeln läßt. Gibt's schon für den Preis einer frischen Weihnachtsgans. Zum Schmoren von Ragouts tut es ein schwerer Topf, der nicht so leicht anbrennt. Kann man den auch noch in den Ofen stellen (Metallgriffe!), ist damit alles machbar. Und: Schöpfkelle und feines Sieb zum Durchgießen bereithalten!

Gib Gutes, gibt Sauce

Das Beste beim Schmoren ist für viele die Sauce, und die gewinnt durch das, was außer Fleisch noch in den Topf kommt. Fast immer dabei sind Zwiebeln, die geben Farbe und Grundgeschmack. Zusätzliche Klassiker sind Wurzelgemüse in Würfeln. Mit Tomaten geht's in Richtung Mittelmeeraroma, und da sind wir auch schon beim Flüssigen angekommen. Wein und Brühe geben Kraft, ein bißchen Wasser dazu nimmt ihnen die Strenge, die sie beim Einschmurgeln bekommen können. Den Kick geben ganze Gewürze von Anfang an und Kräuter gegen Ende – je zarter, je später.

Langsam wird's gut

Beim Braten gilt wie immer beim Essen machen: je heißer, je schneller. Aber beim Fleisch läßt sich das nur bei edlen Stücken anwenden. Weil die so zart in ihrer Struktur sind, daß sie gerade so lange stärkere Hitze vertragen, bis sie gar sind – also innen blutig bis rosa, außen schön krustig. Beim weniger edlen Bratenfleisch sieht das dann zwar genauso aus – doch wegen seiner groberen Fasern hat es sich dann noch nicht locker gemacht. Wird es aber nach dem Anbraten sanfter und länger gegart, ist es durch und durch saftig.

Und das passiert beim Braten braten: Beim Anbraten tritt erst einmal erhitzter Fleischsaft aus und trocknet draußen zur Kruste an. Weil der Saft dann durch diese Versiegelung nicht mehr rauskann, macht er sich nach innen zum Kern des Bratens auf und gart mit seiner Hitze unterwegs das Fleisch. Je näher beim Anschneiden der Saft dem Kern gekommen ist, desto weniger blutig ist das Fleisch.

Beim Schmoren durchzieht nach dem Anbraten zugegossene Feuchtigkeit blubbernd und dampfend den ganzen Braten, der wiederum ein gutes Teil seiner Kraft an die Schmorflüssigkeit weitergibt. Am Ende steht ein mürbes Meisterwerk mit schön viel guter Sauce auf dem Tisch. Gulasch oder Ragout heißt das, wenn statt einem Stück viele kleine Stücke geschmort wurden. Das Prinzip ist aber dasselbe.

Braten braten

Der Braten wird gewürzt und dann in heißem Fett angebraten (1) – auf dem Herd (schneller) oder gleich im 250 Grad heißen Ofen (gleichmäßiger). Bei zarten Stücken reicht einfaches Anbraten, andere und fettere können das schon etwas länger ab, maximal eine halbe Stunde.

Nach dem Anbraten wird's ein wenig kühler: 180 Grad sind gut für die Methode „heiß & schneller", bei 150 Grad beginnt „sanft & langsamer", das bei 80 Grad endet. Das nennt sich Niedrigtemperaturgaren, bei dem das Fleisch besonders lange und gleichmäßig gart. Da zählen auch die Minuten nicht so sehr. Allzu fette Stücke wie die Weihnachtsgans sollten nicht zu sanft gebraten werden, weil das Fett sonst schwammig statt knusprig wird.

Zwei Dinge sind beim Braten braten wichtig: ihn öfters mit dem Bratfett zu beschöpfen, damit die Kruste nicht verbrennt, und ihn nach dem Braten erst einmal in Ruhe zu lassen, damit die zum Kern vorgedrungenen Fleischsäfte sich wieder auf das ganze Stück verteilen und die erhitzten Fasern etwas entspannen können.

Braten schmoren

Schmoren heißt immer „sanft und langsam" und ist vor allem für magere, grobfaserige Stücke gut. Angebraten wird wie oben in einem nicht so großen Topf, damit später nicht soviel Flüssigkeit nötig ist. Dann werden die Gemüse gebräunt, dann je nach Garzeit entsprechend viel Flüssigkeit samt Gewürzen dazu, wobei der Braten nicht völlig bedeckt sein sollte – sonst kocht er nur (2). Jetzt Deckel drauf und das Ganze sanft in Sauce und

Dampf schmoren lassen, ähnlich wie beim Garziehen. Profis machen das im Ofen, weil dort die Hitze gleichmäßiger ist. Aber auf dem Herd geht es auch gut, wenn der Braten öfter gewendet wird.

Ist der Braten fertig, darf er sich in Alufolie im ausgeschalteten Ofen ausruhen, während die Sauce gemacht wird: Fett mit dem Löffel abschöpfen (3), alles durch ein feines Sieb gießen, dabei mit der Kelle ein bißchen nachpressen, und dann nach Geschmack vollenden.

Ragout schmoren

Beim Ragout ist es ähnlich wie beim Schmorbraten: Erst das Fleisch anbraten, und zwar bei größeren Mengen nacheinander, weil es sonst schnell kocht. Dann das Gemüse – meistens sind es Zwiebeln – glasig braten, Fleisch wieder dazu und alles würzen. Nur beim Gulasch ist es umgekehrt.

Jetzt kommt es drauf an: Langschmoriges wie etwa ein Rindsragout braucht erst nur den eigenen „Saft" und ein paar Schluck Wasser zwischendurch, um so richtig mürbe zu werden, und wird erst kurz vor Schluß aufgefüllt. Was kürzer braucht – Hähnchenteile etwa –, wird gleich mit der ganzen Flüssigkeit gegart.

Wokken & Fritieren

Jetzt wird's richtig heiß. Denn in Wok und Friteuse läuft nichts unter 180 Grad, da sind flinke Hände und ein bißchen Gefühl gefragt. Zur Belohnung gibt's bei Fleisch, Fisch und Gemüse außen viel Kruste, innen viel Zartes und durch und durch viel Geschmack.

Heiße Eisen

Welcher Wok wird meiner? Kommt drauf an: Fürs Pfannenrühren bei schneller, starker Hitze sind dünnwandige ideal. In Asien sind die aus Eisenblech und haben den typisch runden Boden, der über heißer Flamme die Hitze gut weiterleitet. Das geht mit einem Spezialring auch auf unserem Gasherd, wenn der auch nicht so heizt wie Chinas Flammen. Da kann die Elektroherd-Version mit flachem Boden sogar das bessere Gerät sein. Ideal ist ein Durchmesser von rund 35 cm. Blechwoks sind billig und machen ihren Job gut, wenn sie später mit Wasser gespült und eingeölt werden, aber sie können verbeulen. Dünne Edelstahlwoks sind da die (leider recht teure) Alternative – oder nach einiger Zeit das neue Billigteil aus Blech. Schwere Gußeisenwoks reagieren langsamer und eignen sich zum Schmoren. Und wer richtig loswokken will, braucht noch die Wokschaufel mit runder Kante zum Wenden und die gewölbte Wokkelle zum Herausheben. Gibt's überall da, wo es gute Woks gibt. Ein Deckel ist beim Pfannenrühren nicht nötig, aber fürs Schmoren, Dämpfen, Kochen schon – das kann ein Wok nämlich auch. Und braten. Und fritieren.

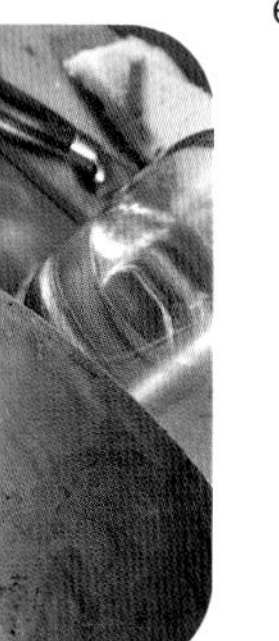
1

Fritieren im Wok, Pommes auf asiatisch? Warum nicht – denn fürs Braten in schwimmendem Fett braucht man nicht unbedingt die Friteuse. Im Wok geht's sogar mit weniger Fett. Ein großer Kochtopf tut es auch, er muß nur hoch genug sein, damit er gut zur Hälfte mit Fett gefüllt werden kann. Mit einem passenden Drahtkorb oder -sieb läßt sich Robustes auf einmal aus dem Topf heben, die Schaumkelle ist für empfindlichere Teile da.

Entweder viele Gewürze oder viel Fett

Drei Sachen braucht der echte Wok-Koch: Knoblauch, Ingwer und Frühlingszwiebeln, die Basis vieler pfannengerührter Gerichte aus Asien sind. Und zum Abschluß geben oft Würzsaucen und -pasten den Kick, wie Soja-, Fisch- oder Austernsauce, Curry- oder Shrimpspaste. Beim Fritieren muß all das draußen bleiben, weil es sofort verbrennen und damit das Fett versauen würde. Dieses muß auch selbst einiges abkönnen, weswegen es hocherhitzbar und am besten ohne viel Geschmack ist wie einfaches Pflanzenöl.

Gib Feuer, gibt Geschmack

Beim Pfannenrühren liegt das Energiezentrum in der Bodenwölbung, hier bekommen Gemüse wie Fleisch ruckzuck Kruste, unter der sofort die Säfte brodeln. Kleine Stücke werden so rasant schnell gar. Weil hier Sekunden und Millimeter zählen, muß alles fürs Pfannenrühren vorgeschnitten sein, und zwar möglichst fein. Wichtig ist auch, daß das Gemüse ständig in Bewegung ist, weil es sonst schnell anbrennen würde. Wirbeln ist also angesagt. Wok-Profis nutzen noch die mit der Steigung kühler werdenden Wände, um Angegartes warm zu halten.

Fritieren ist nichts anderes als Kochen in Fett. Weil dieses aber erst bei 180 Grad so richtig in Fahrt kommt, gibt das beim Fritierten schnell eine knusprige Kruste, unter der dann wie beim Wokken die Säfte steigen. Damit es gut wird, müssen zwei Dinge stimmen: Je größer ein Stück, desto schneller muß es gar werden, weil sonst die Kruste verbrennt und es innen noch kalt ist. Also Großes entweder vorgaren – oder einfach kleiner schneiden. Bedingung Nummer 2: Die richtige Hitze. Ist das Fett zu kalt, kommt die Kruste zu spät, und alles saugt sich mit Fett voll. Ist es zu heiß und raucht, wird alles knusprig, bevor es gar ist, und schwarz, wenn es gar ist. Der Test: Brotwürfel ins Fett. Ist der in 1 Minute goldbraun und knusprig, stimmt die Temperatur (1).

Gemüse wokken

Wokken – das heißt hier Pfannenrühren, weil das nur in der Asien-Pfanne richtig gut geht. Dabei gilt: Je fester die Konsistenz, desto feiner der Schnitt. Also Spinat nur grob hacken, Möhren aber ganz dünn schneiden. Das muß alles vorher passieren, ebenso wie das Suchen von Salz und Sojasauce. Denn beim Wokken ist nur fürs Wokken Zeit.

Wokken für Einsteiger: Dem Wok kräftig einheizen. Wenn ein Wassertropfen darin Steptanz macht, ist's richtig. Verzischt er ohne große Show, braucht es noch Feuer. Nun den heißen Wok mit Öl ausschwenken, dann ein wenig Öl darin aufheizen. Nun hinein mit dem Gemüse, und zwar erst das, was lange dauert. Dabei ständig mit der Wokschaufel oder dem Pfannenwender rühren und wenden, damit nichts anbrennt. Die nächste Gemüseladung – das, was nicht ganz so lange dauert – dazu, rühren, wenden, wieder Gemüse, und so weiter. Wenn am Ende alles den gleichen Biß hat, war das Timing perfekt. Wenn nicht, schmeckt's auch gut und beim nächsten Mal bestimmt noch besser. Jetzt können Gewürze und Flüssigkeit dazu, dann ruckzuck alles auf den Teller.

Wokken für Fortgeschrittene: Starten wie oben, dann Gemüse Nr. 1 anbraten, an der Wokwand hochschieben, Gemüse Nr. 2 hinein, anbraten, mit Gemüse Nr. 1 mischen, alles wieder hoch, Gemüse Nr. 3 hinein, und so weiter. Bei beiden Versionen wichtig: Nur so viel in den Wok, daß nichts aufeinanderliegt. Insgesamt können so gut 500 g gewokkt werden.

Gemüse-Tempura fritieren

Was viel Stärke hat wie Kartoffeln oder Nudeln, läßt sich ohne großen Aufwand fritieren. Zarteres und Wasserhaltigeres braucht aber eine zusätzliche Stärkung, etwa durch eine Teighülle. Toll für Gemüse ist der japanische Tempurateig. Bevor der gemacht wird, aber erst das Gemüse in Stücke für einen Biß schneiden, dann die festen noch kurz stark kochen. Knapp 1 Liter Fett auf 180 Grad aufheizen (wie's geht, steht links). Inzwischen den Teig rühren: 400 ml eiskaltes Wasser (am besten bis kurz vorm Anfrieren in den Tiefkühler stellen) ganz vorsichtig erst mit 2 Eigelben und dann mit 200 g Mehl vermengen. Klümpchen machen da gar nichts, zu langes und kräftiges Rühren ist Gift.

Jetzt das Gemüse in Mehl wenden und durch den gerade eben gerührten Teig ziehen (2). Abtropfen lassen und sofort ins heiße Fett geben. Ist die Oberfläche gerade so bedeckt, reicht das, weil sonst das Fett zu sehr abkühlt. Nach 1–2 Minuten ist alles gar und knusprig, jetzt wird es mit dem Schaumlöffel rausgehoben (3), kommt auf Küchenpapier zum Abfetten und wird gesalzen. (Im Backofen bei 75 Grad warm halten.) Fett wieder heiß werden lassen und weitermachen.

2

3

die fantastischen 14

Die Basics
für den
besten Dreh

schäler
maß
mixstab
dosenöffner
korkenzieher
sieb
zitronenpresse
radio

Das Messer

Jetzt müssen wir streng sein: Wer glaubt, mit dem Messerblock für 49,90 der King in der Küche zu sein, hat sich geschnitten. Ist einfach zu billig, um gut zu sein. Besser ist es, nur drei Messer zu haben, die ihr Leben lang was taugen: ein kleines für Kleinkram wie Zwiebeln schälen, ein größeres mit langer, schmaler Klinge für alles Mögliche vom Steak schneiden bis zum Broccoli putzen, und eins mit ganz großer und so breiter Klinge, daß beim Schneiden die Hand am Griff nicht aufs Brett kommt. Das hilft zum Beispiel beim in Scheiben schneiden und Kräuter hacken. Allerdings wird schon das mehr als der Küchenking-Messerblock kosten. Dafür hält es auch länger als das ganze Teil.

Die Pfeffermühle

Pfeffer frisch gemahlen oder aus der Tüte? Wem das egal ist, der hält Heimatromane auch für leidenschaftlich. Direkt aus der Mühle schmeckt das würzige Korn nämlich viel mehr als nur scharf, dafür aber längst nicht so muffig wie Tütenwerk. Und weil viel Effekt mit nur einem kurzen Dreh echt basic ist, gehört eine ordentliche Pfeffermühle in jede Basic-Küche. Ordentlich heißt nicht unbedingt: toll im Design. Hauptsache: tolles Mahlwerk. Also lieber das barocke Eichenholzmodell mit verstellbarem Mahlgrad als die schicke Plexiglaspyramide, die immer aus den feuchten Kochhänden flutscht und beim Auffüllen so sperrig wie ein Pharaonengrab ist.

Das Brett

Tomaten auf dem Küchentisch schneiden ist zwar Landhausstil pur, aber auf Dauer nur Sauerei. Also muß ein Brett in die Basic-Küche. Und am besten noch ein Extrabrett für Extremes wie Knoblauch, damit der Obstsalat nicht knofelt. Wenn sich auf dem Basic-Brett Eisbergsalat ohne große Verluste schneiden läßt, paßt auch sonst fast alles drauf. Ist es aus Plastik, ist es praktisch. Läßt sich sogar im Geschirrspüler reinigen. Kriegt aber mit der Zeit Macken. Ist es aus Holz, ist es schön. Aber auch anspruchsvoll. Schrubben ist da Ehrensache, Geschirrspüler Verrat. Unfug sind: Saftrinne (bleibt alles hängen), bizarre Formen (fällt alles runter), Füßchen (besser: feuchter Lappen).

die fantastischen 14

Die Basics für den besten Dreh

Die Reibe

Wir sagen nur: Parmesan. Weil er frisch gerieben so ziemlich alles ziemlich lecker macht, ist alleine wegen ihm die Küchenreibe schon absolut basic. Das beste Stück ist das einfachste, nämlich die gelochte Schaufel mit Stiel. Macht sich mit einem Stück Käse gut bei Tisch, taugt aber auch für den Hauch Muskatnuß in der Brühe, das Äpfelchen im Brei oder die Zitronenschale zum Kuchen. Sogar Schaumlöffeln oder Wokschaufeln geht damit. Wer noch mehr will, greift zur Vierkantreibe, die auch Möhren raspeln, Gurken hobeln und ganz fein reiben kann. Und mit einem Teelicht drin wird noch ein Windlicht draus.

Der Schneebesen

Da gibt es ja schicke Dinger zum Saucen vollenden, Gourmetsahne schlagen und Topfecken auskehren. Einer reicht aber, und der muß zwei gute Dinge haben: erstens elastische Drähte, damit das Schlagen nicht zur Schwerarbeit wird und leicht Luft ins Geschlagene kommt; zweitens einen handlichen Stiel, der auch nach längerem Gebrauch nicht lästig fällt und kein Geheimfach für plötzliche Spülwassergüsse hat. Und jetzt der Trick für handgeschäumten Cappuccino: in einem kleinen, hohen Topf Vollmilch erhitzen (Magermilch ist was für geizige Kaffeeköche), Schneebesen zwischen die Handflächen und quirlen, quirlen, quirlen. Der Schaum trägt sogar Zucker.

Der Wasserkocher

Schön ist er selten, spießig fast immer. Doch wer die Kreuzung aus Tauchsieder und Wasserkessel einmal hat, wird sie nicht mehr los. Morgenmuffel schätzen an ihm, daß er rasant Teewasser kochen kann, während sie noch tranig in die Kanne starren. Chaosköche bringen mit ihm blitzschnell einen Topf voller Nudeln zum Kochen. Beide Typen finden gut, daß er sich von selbst abstellt und der Stecker heute nicht mehr am Kocher hängt. Lästig ist, daß sich manchmal die Klappe kaum öffnen läßt – wegen der ganz Doofen, die ihre Nudelsuppe darin kochen wollen. Zwei echte Warnungen: Vorsicht vor dem Wasserdampf. Und immer genug Wasser in den Kocher, sonst fängt er an zu spinnen.

Der Schäler

Auch wenn die Mama die Möhren schabt und Kartoffeln ruckzuck mit dem kleinen Messer pellt – so ein Schäler mit beweglicher Klinge macht das Leben in der Basic-Küche viel besser. Weil sich so auch leicht Paprika schälen lassen. Und Spargel. Wer dabei wenig verlieren will, drückt die Klinge einfach vor dem Schälen ein bißchen enger zusammen. Ob diese nun quer steht oder senkrecht, ist eher eine Frage der eigenen Technik und Geschicklichkeit. Phantasie ist beim Spiel mit dem Schäler gefragt: Möhren der Länge nach wie Bandnudeln aufschneiden. Oder Gurken ein Längsstreifenmuster verpassen – gibt beim Querschneiden hübsche Scheiben. Oder, oder, oder ...

Das Maß

Wer abmessen bürokratisch findet, ist entweder Profi oder zu locker, um lässig zu sein. Da kann der aus der Hand gekochte Vanillepudding schnell stressig werden. Mit dem Litermaß – am besten durchsichtig – läßt sich das vermeiden. Je feiner die Einteilung, desto besser. Am besten ist es, wenn das Maß bis zum Achtelliter und auch noch bis 0,1 l runtergeht. Was darunter liegt, mißt sich mit dem Eßlöffel (einer faßt 10 ml Wasser) oder dem Schnapsglas genauer. Überhaupt Gläser: Ganz Fixe loten mit dem Sektglas (0,1 l), Weinglas (0,2 – 0,25 l) oder Münchner Bierkrug (0,5 – 1 l) blitzschnell die Menge aus. Und die Amis sind da noch weiter: Die messen auch Mehl in Tassen. Waage überflüssig.

Der Mixstab

Gab's ein Leben vor dem Mixstab? Es muß aus mühsamem Durchstreichen, langwierigem Mixerputzen und wildem Rühren bestanden haben. Heute aber nehmen wir den Pürierstab, drücken aufs Knöpfchen und – simsalabim – ist der Shake gemixt, die Suppe püriert, die Sauce standfest. Vorausgesetzt, der Stab hat genug Power (was der Aufsatz aufs Küchengerät selten hat). Und nicht vergessen: Vieles schmeckt auch gut, wenn man es nicht zu Brei schlägt. Manches mag der Mixstab sogar überhaupt nicht: Kartoffelpüree macht er zäh und schleimig, Kräuter bitter, und Sahne wird mit ihm steif, bevor sie richtig Luft holen konnte.

Der Dosenöffner

Bei aller Frische – ohne geschälte Tomaten läuft wenig in der Basic-Küche. Schon darum braucht sie einen Dosenöffner. Wenn nicht gerade eine Dogge zum Haushalt gehört, muß er nicht elektrisch sein. Wichtig ist nur, daß sich eine Dose ohne großen Aufwand für Hand und Hirn knacken läßt. Der einarmige Öffner, bei dem die Klinge am Dosenrand entlang gehebelt wird, ist daher mehr was für den Abenteurer. Choleriker wie Zartfühlende nehmen lieber das doppelgriffige Modell, bei dem per Flügelschraube das Klingenrad am Deckelrand entlanggetrieben wird. Ist das Rad scharf und die Flügelschraube nicht so scharf, klappt das bestens. Und nicht vergessen: Auch Dosenöffner kann man putzen.

Der Korkenzieher

Er ist der feine Bruder des Dosenöffners und damit der anspruchsvollere von beiden. Aber auch für ihn gilt: Je weniger Hirn und Hand gefragt sind, desto besser. Die simple Spirale mit Quergriff obenauf ist very basic, aber nur was für geschickte Kraftpakete. Weil die selten sind, gibt's eine Menge Alternativen. Alle lassen sich dann am leichtesten in den Korken treiben, wenn sich dabei eine echte Spirale dreht statt nur eine bessere Schraube. Läßt sich dabei das Gerät sicher auf der Flasche halten, wird das Risiko noch kleiner. Zum Rausziehen wird entweder gehebelt (meist zweiarmig) oder „gegengedreht". Wenn das ohne Umschalten ganz automatisch passiert, kann eigentlich nichts schiefgehen.

Das Sieb

Das Wichtigste daran sind die Löcher darin. Standard Nr. 1 ist das grobe Haarsieb zum schnellen Durchgießen oder zum Durchdrücken, etwa von weichen Kartoffeln. Nr. 1 a ist das feinmaschigere Stück, durch das Suppen und feine Saucen gegossen werden. (Echte Snobs gießen ihre Brühe auch noch durch den Kaffeefilter.) Standard Nr. 2 ist das Salat- oder Nudelsieb mit vielen großen Löchern, durch die sich auch Spätzleteig drücken läßt. Aus Metall kann es sein, muß aber nicht, manche Küchen werden jahrelang von einem Plastiknudelsieb für 2 Mark 99 bewohnt. Ein Must für Salatfans: die Salatschleuder (die mit dem Original-U-Bahn-Sound).

Die Zitruspresse

Jeder Haushalt hat mindestens zwei davon – eine an jedem Arm der Bewohner. Aber für den letzten Tropfen reicht das Auspressen mit der bloßen Hand kaum aus. Standard- wie Designerpressen haben eins gemeinsam: die schnittige Kuppel, die ein wenig an die Spitze einer Comic-Rakete erinnert. Sie treibt den Saft aus der Frucht und läßt ihn nach unten rinnen. Ist da nichts, was Kerne und Fleisch vom Saft trennt, ist das nichts. Besser ist es, wenn der Saft durch ein Sieb in ein Schälchen darunter tropfen kann. Für kleine Mengen tut es auch eine Auffangzone und Sammelrinne zu Füßen der Kuppel. Und weil beim Pressen rohe Kräfte walten, sollte die Presse vor allem stabil sein.

Das Radio

Eine Küche ohne Radio ist wie ein Sommer ohne Sonne: nicht lustig. Denn blöde Witze zum Morgenkaffeegebrodel, Mittagessen mit Lieblingsliedern, Spaghetti zu Caruso machen das Kochen erst richtig schön. Irgendwas Passendes findet sich immer, was ja ziemlich basic ist. Das sollte auch das Gerät selbst sein, also so knopflos wie möglich, sonst steht man ja mehr am Radio als am Herd. Ganz wichtig: ein großer Einschaltknopf, der zur Not auch mit dem Kochlöffel betätigt werden kann. Vorsicht aber vor allzu mitreißenden Programmen. Denn wenn Töpfe ins Tanzen kommen und Steaks von der übrigen Welt vergessen in der Pfanne verbrennen, bleibt das Küchenradio lieber aus.

die rezepte

basic

Nudel
Kartoffel

... Etwas, das satt macht. Das leicht geht. Und das jeder mag

n,

n & mehr

Hunger? Zeit wird's. Ein Viertel Kochbuch lang haben wir uns jetzt ganz nett unterhalten, aber nun muß was Ordentliches auf den Tisch. Also keine Faxen bitte, wir wollen was essen. Etwas, das satt macht. Das leicht geht. Das am besten aus einem Topf kommt. Und das jeder mag.

Was macht der Italiener da? Nudeln kochen, natürlich. Aber Reis kocht er auch, Risotto vor allem. Ganz viel Reis kochen sie in Asien. Aber auch ganz viele Nudeln. Die werden dann in den USA „noodles" genannt, wenn sie aber vom Italiener kommen, heißen sie „pasta". Noch lieber mögen die Amerikaner ihre Pommes. Obwohl: Eigentlich kommen die ja aus Frankreich, besser noch aus Belgien. Und überhaupt ist die Kartoffel eher unser Ding. Allerdings essen die Iren doppelt soviel davon wie die Deutschen. Aber beim Brot sind wir Weltmeister, nirgends auf der Welt gibt es mehr Sorten als in Deutschland. Die beliebtesten zur Zeit: Bruschetta, Crostini, Tramezzini. Da stimmt doch auch wieder was nicht. Mamma mia, wir haben einfach nur Hunger.

Nix reden. Essen! Klar?

Ja dann.

Bitte umblättern.

Brote für die Welt

Ein ordentliches Wurstbrot kann Leben und Launen retten – allerdings nur in Teilen Mitteleuropas. Der Rest der Welt schüttelt lieber den Kopf, als in ein einfach belegtes Brot zu beißen. Denn original italienische Tramezzini, französische Crôques oder amerikanische Sandwiches müssen gefüllt sein und das mindestens zweifach, um ihren Namen zu verdienen. Ansonsten ist aber alles erlaubt. Auch solch ein Wolkenkratzer aus dem Brotbaukasten der Vereinten Nationen. Da kann sich jeder ein paar Scheiben für seinen kulinarischen Traum abnehmen.

Brot für Melina
Fladenbrot-Sandwich mit einer Paste aus gehackten grünen Oliven & Olivenöl bestreichen, darauf Romana, gegrillte Auberginenscheiben, eingelegte Paprika & Fetastückchen

Brot für Nadja
Vollkornbrot-Sandwich mit Kopfsalat und Rührei, darauf Garnelen, angemacht mit frischen Ingwer- und Lauchzwiebelstreifen und Sojasauce

Brot für Charles
Muffin-Roll mit Batavia, bestrichen mit einer Senfmayonnaise mit gehackten Äpfeln, Gürkchen & Sardellen drin, belegt mit gekochtem Schinken

Brot für Sieglinde
Sauerteigbrot-Sandwich mit Frischkäse, Kopfsalat, Tomaten und Eischeiben, darauf Kapern, Schnittlauch und ordentlich Parmesan

Brot für Gregory
Klassischer Sandwich mit Eisbergstreifen, belegt mit Stückchen vom Brathähnchen, die in einer Joghurtcreme mit Curry, Mango-Chutney und Worcester angemacht sind. Obenauf Sprossen

Brot für Lorenza
Ciabatta-Sandwich mit Rucola, bestrichen mit einer Creme aus pürierten Bohnenkernen aus der Dose und Pesto, belegt mit Salami und ein paar Stückchen getrockneten Tomaten

Brot für Pedro
Baguette-Stück mit einer Mayonnaise mit grünem Paprika, Chili und Knoblauch auf Radicchio, darauf Thunfisch-Stückchen und geriebener Käse

Heißer Reis

Wer Reis kocht, muß eins wissen: rohe 150 g werden zu gekochten 350 g, was als Beilage für zwei reicht.

Der Reis vermehrt sich beim Kochen, weil sich die Körner mit Flüssigkeit vollsaugen. Wenn die am Ende ganz im Korn steckt, ist es das Ideal: lockerer Reis voller Geschmack. Und der ist gar nicht schwer zu machen.

Am besten eignet sich dafür Parboiled Langkornreis, und am einfachsten geht es beim Quellreis:
150 g Reis und 400 ml Flüssigkeit kalt in einen Topf geben, aufkochen und so lange ganz sanft am Köcheln halten, bis die Flüssigkeit gerade weg ist. Das dauert etwa 20 Minuten. Zum Schluß den Reis kurz offen ausdampfen lassen, umrühren, fertig.

Noch narrensicherer ist es, Reis wie die Türken zu kochen – und Pilaw-Reis klingt auch viel schicker:
2 EL Öl im Topf erhitzen, 1 Kaffeebecher Reis (etwa 150 g) dazuschütten und unter Rühren glasig braten. Dann 1 1/2 Kaffeebecher Flüssigkeit dazu, würzen, Deckel fest drauf und bei mittlerer Hitze 10 Minuten lang köcheln lassen. Ganz wichtig: Dabei weder in den Topf schauen (Dampf entweicht!) noch umrühren (macht alle Lockerheit zunichte!!). Erst in den letzten Minuten ist zumindest spicken erlaubt. Ist die Flüssigkeit dann fast verschwunden und hat der Reis oben Löcher (Dampfschornsteine), kommt Phase 2: Reis mit Deckel auf der ausgeschalteten Herdplatte oder im 100 Grad heißen Ofen 10 Minuten nachziehen lassen. Jetzt durchrühren und gaaanz lockeren Reis mit kräftigem Geschmack servieren.

Wie die Griechen Pilaw machen, steht übrigens auf S. 51.

Unser liebster Sattmacher

Die Nudel

engl. noodle, franz. nouille, ital. pasta, schwäb. Spätzle

Das ist sie

• In Italien: Spaghetti und Maccheroni, Rigatoni (kurz & hohl), Penne (kurz, schräg & hohl), Tagliatelle, Fettuccine, Linguine, Trenette (lang, flach und breit bis schmal), Farfalle (Schmetterling), Ravioli (gefüllt), Tortellini (gefüllt & gedreht) und Hunderte mehr
• In Asien: Glasnudeln (aus Mungobohnen, für Salate und Suppen), Reisnudeln (suppenfein bis bandnudelbreit), Hokkien- und Shanghai-Nudeln (frische Weizennudeln, klasse zum Braten), Somen-, Ramen- und Udon-Nudeln (vor allem für japanische Suppengerichte)
• Wo man deutsch und ähnliches spricht: Bandnudeln, Nudelsalatspiralen, Nockerl

Das macht sie

• stark, glücklich und nicht dick
• Lust auf mehr, irgendwann süchtig
• selten viel Arbeit, oft viele Flecken

Das will sie

• ständig kochen
• sofort gegessen werden
• ganz viel Sauce
• kein kaltes Wasser
• gerne heiße Teller

Das mag sie

• eigentlich alles, was schmeckt – vom Butterstückchen bis zur Trüffelscheibe
• Saucen mit Tomaten, Sahne, Käse, Pilzen, Fleisch oder Meeresfrüchten
• die Würze von Knoblauch, Parmesan, Basilikum, Olivenöl und schwarzem Pfeffer. Oder Lauchzwiebeln, Ingwer, Koriander, Sojasauce und Chilischoten

Adretta oder Irmgard?

Es soll ja Leute geben, die aus dem Stand 37 Ravioli-Formen aufmalen können und per Internet Basmati-Reis aus Karatschi ordern. Ja Wahnsinn! Dieselben Leute gehen dann ins Gourmetlädchen und greifen sich eine Tüte Bamberger Hörnchen für „Kartoffelbrei so wie früher“. Und haben dann einen glitschigen Pamp im Topf. Ja saublöd.

Die richtige Kartoffel zur richtigen Zeit kann jede Nudel und jedes Reiskorn im Aroma abhängen. Weil sie nämlich Natur pur ist. Aber wie das nun mal so mit der Natur ist, hat die ihre Launen. Manche Kartoffelsorten zum Beispiel haben eher wenig Stärke in sich, so daß die Knollen beim Kochen fest und saftig bleiben. Deswegen werden sie „Festkochende“ genannt. Die sind gut für Salate und Bratkartoffeln. Und sie hören auf so schöne Namen wie Forelle, Linda, Sieglinde oder Bamberger Hörnchen.

Allerdings sind Festkochende bindungsunfähig, weil ihnen für Knödel oder Brei die nötige Stärke fehlt. Adretta oder Irmgard haben dafür reichlich davon, weswegen sie „Mehligkochende“ genannt werden. Name und Kochtyp stehen übrigens immer auf der Packung. Und ganz oft steht dort: „vorwiegend festkochend“. Das sind die Knollen, die beim Kochen noch fest bleiben, aber trotzdem schon genug Stärke zum Binden haben. Sie sind lecker für Salzkartoffeln oder Auflauf; aber ein richtig guter Salat oder Püree wird aus Christa, Desirée oder Rosara nicht.

In

Asien-Nudeln kennen und kochen • Spaghetti, die nicht kleben • Polenta zum Schweinebraten • Basmati-Reis • Pfannkuchen per Luftschwung wenden • belegte Brote aus aller Welt • die Sandwich-Kreation des Tages • für immer und ewig: Pellkartoffeln, Pilzrisotto, Pizza knusprig

Out

Glasnudeln für die Suppe nicht schneiden • Spaghetti schneiden • mehr Kochwasser als Sauce zu Nudeln • Gnocchi mit Mehlsauce • Risotto aus Milchreis • überbackener Toast, der nicht getoastet ist • Pfannkuchen Crêpes nennen • nie und nimmer: „Hauptsache es macht satt!“

Spaghetti alla Bolognese

Die Mutter aller Nudelgerichte

Für 4 Hungrige:

1 Zwiebel

1 Möhre

2 Stangen Sellerie

100 g durchwachsener Räucherspeck

2 EL Butter

300 g gemischtes Hackfleisch

1/8 l Rotwein oder Brühe

1 kleine Dose geschälte Tomaten (400 g)

1–4 kleine getrocknete Chilischoten

Salz, Pfeffer aus der Mühle

500 g Spaghetti

1 ordentliches Stück Parmesan (reicht noch für viele Nudelessen)

1 Erstmal alles vorbereiten, was zuerst in die Pfanne wandert: Zwiebel und Möhre schälen, Selleriestangen waschen, vom Speck die Schwarte weg – und alles in kleine Würfel schneiden.

2 Große Pfanne auf die heiße Herdplatte stellen und warten, bis auch der Pfannenboden heiß ist. Dann Speckwürfel rein und bei mittlerer Hitze braten, bis das weiße Fett vom Speck fast ausgebraten ist. Butter dazu, alle Gemüsewürfel unterrühren.

3 Gemüse und Speck an den Rand der Pfanne schieben, damit in der Mitte Platz zum Anbraten ist. Hackfleisch rein, mit dem Pfannenwender in kleinere Portionen teilen und 2–3 Minuten rühren, bis alles zu kleinen, knusprigen Fleischkrümeln gebraten ist.

4 Wein oder Brühe angießen. Tomaten aus der Dose (mit Saft) dazugeben und in der Pfanne etwas zerdrücken, alles gut durchmischen. Chilischoten zerkrümeln oder hacken, mit 1 TL Salz und Pfeffer zum Sugo geben. Bei schwacher Hitze sanft vor sich hin köcheln lassen (15 Minuten sollten es schon sein, 1 Stunde schadet aber auch nicht), öfter mal umrühren.

5 Zeit für die Pasta: In einem großen Topf 5 l Wasser aufkochen, 2 EL Salz rein. Ins heftig kochende Wasser die Spaghetti schütten, mit einem Kochlöffel nachhelfen, damit schnell alle unter Wasser sind.

6 Ohne Deckel 7–8 Minuten kochen, dann eine Nudel rausfischen und probieren – Spaghetti sollen auf keinen Fall zu weich, aber auch nicht zu hart sein, sondern sich angenehm beißen lassen. Falls die Sauce zu dicklich eingekocht ist, spätestens jetzt ein paar Löffel heißes Nudelwasser dazugeben. Spaghetti dann in ein Sieb abgießen, kurz rütteln und abtropfen lassen.

7 Sauce abschmecken, vielleicht noch mit Salz und Pfeffer nachwürzen. Spaghetti auf tiefe Teller verteilen, dick mit Sauce begießen. Parmesan mit einer Käsereibe dazustellen – den reibt sich jeder frisch über die dampfende Pasta!

So viel Zeit muß sein: 45 Minuten
Das schmeckt dazu: Weißbrot, grüner Salat, Rotwein – am besten Chianti
Kalorien pro Portion: 900

Gebratene asiatische Nudeln

Rasant

Für 4 neugierige Hungrige:

250 g asiatische Eiernudeln

Salz

500 g Hähnchenbrustfilets

1 Bund Frühlingszwiebeln

1 kleines Stück frischer Ingwer

2 Knoblauchzehen

1–2 kleine getrocknete Chilischoten

5–6 EL neutrales Öl (z. B. Erdnußöl)

3 EL Sojasauce

1–2 EL Zitronensaft

1 Die Nudeln in 2 l kochendem Salzwasser ungefähr 5 Minuten kochen (auf der Packung steht genau, wie lange) – nicht zu weich, weil sie ja auch noch gebraten werden. Ins Sieb abgießen und gut abtropfen lassen.

2 Hähnchenfleisch in kleinfingerdünne Streifen schneiden. Die Frühlingszwiebeln waschen, vom Grün nur das abschneiden, was nicht mehr schön knackig aussieht. Vorne an den Zwiebeln die Wurzelbüschel weg, dann den Rest fein aufschneiden, in Ringe oder Streifen. Die Ingwerwurzel und die Knoblauchzehen schälen, ganz fein hacken. Chilischoten zerbröseln oder fein hacken.

3 In einer großen Pfanne oder im Wok 3–4 EL Öl mit dem Pinsel verstreichen und ganz heiß werden lassen. Hähnchenfleisch rein, immer kräftig rühren und nur 1–2 Minuten rundum braten. An die Seite schieben, in der Mitte mit frischem Öl Zwiebeln, Ingwer, Knoblauch und Chiliflakes anbraten.

4 Dann Nudeln mit letztem Öltropfen in die Pfanne – und immer rühren! Nach etwa 1 Minute kräftig mit Sojasauce und Zitronensaft begießen, das zischt schön und riecht wunderbar asiatisch. Und jetzt: Hände weg von der Gabel – her mit den Stäbchen!

So viel Zeit muß sein: 30 Minuten
Das schmeckt dazu: Grüner Tee, Jasmintee oder auch ein Bier
Kalorien pro Portion: 630

Risotto, einfach nur Risotto

So überzeugend wie Klavierspielen können - aber viel einfacher!

Was haben sie nur, die Italiener, daß wir uns immer wieder neu in ihre Kochkunst verlieben? Auf jeden Fall haben sie die umwerfendsten Basics auf der Speisekarte: Spaghetti und Risotto. Spaghetti kann jeder, Risotto muß man sich erobern. Und mit dem Löffel essen!

Für 4 Genießer als Zwischengang:

1 Zwiebel

4 EL Butter

300 g italienischer Rundkornreis

1/8 l Weißwein

1 l heiße Fleischbrühe oder Hühnerbrühe

0,1–0,2 g Safran (Fäden oder Pulver)

50 g frisch geriebener Parmesan

(ungefähr 4–5 EL voll)

Salz, Pfeffer aus der Mühle

1 Auch wenn's den Risottokoch schon in den Rührfingern juckt, zuerst muß er die Zwiebel schälen und fein würfeln. Dann wird er 2 EL Butter in einer großen Pfanne schmelzen und darin die Zwiebel glasig dünsten.

2 Den Reis in die Pfanne zu streuen erhöht schlagartig die Spannung. In der Zwiebelbutter wird der Reis nun so lange gerührt, bis er hell und durchscheinend aussieht – bei sehr, sehr sanfter Hitze. Nicht braun werden lassen, sondern jetzt gleich mal den Wein und eine Kelle voll heißer Brühe angießen und fleißig rühren.

3 Die Pfanne bleibt natürlich offen – wegen dem Rühren. Aber auch, weil die Flüssigkeit nicht nur vom Reis geschluckt wird, sondern auch verdampfen soll und immer wieder durch einen neuen kleinen Brühe-Nachschub ersetzt wird.

4 Der Risottokoch freut sich darüber, beim Rühren zu sehen, wie schön sämig plötzlich alles aussieht. Gar nicht wie die körnig-trockene Risibisi-Pfanne aus der Kantine, sondern eher wie ein göttlicher Brei. Der wird gleich noch schöner aussehen, wenn der Safran im letzten Brühe-Rest aufgelöst wird und den Pfanneninhalt in sattes Gelb taucht.

5 Alles in allem ist man jetzt vielleicht 20–30 Minuten am Herd gestanden – ohne sich die Spur zu langweilen. Das erste Löffelchen für den Koch, damit er zwischen den Zähnen spürt, ob die Reiskörner, die so weich aussehen, innen noch einen zarten Biß haben – hurra!

6 Den Rest der Butter und den duftenden frischen Parmesankäse (wer den aus der Packung nimmt, ... aber wer tut das schon?!) unter den Reis mischen, noch mal mit Salz und Pfeffer abschmecken – basta!

So viel Zeit muß sein: 40 Minuten
Das schmeckt dazu: ein leichter spritziger Weißwein
Kalorien pro Portion: 390

Basic Tip

Wer auf den Risotto-Geschmack gekommen ist, kann jeden Tag einen neuen ausprobieren. Zum Beispiel mit grünem Spargel oder Kürbis. Mit frischen Pfifferlingen oder mit getrockneten Steinpilzen, mit Erbsen oder Fenchel, mit Gurken oder Artischocken, mit Schinken oder Tintenfisch. Das Prinzip ist immer gleich: Zutaten in Butter andünsten, den Reis in die Pfanne rühren und wie oben beschrieben weitermachen. Nur bei Fisch, bei Garnelen, bei allen zarten Zutaten, die nicht lange köcheln dürfen, ist es anders: die werden erst ganz zum Schluß untergemischt und nur wenige Minuten mitgegart.

Kartoffelpüree
Feiner kann's keiner

Weiß noch jemand, was ein richtig gutes, selbstgemachtes Kartoffelpüree ist? Doch so viele. Und wer weiß, wie es gemacht wird? Nicht so viele. Na, hier steht's ja.

Für 4 Hungrige als Beilage:

700 g Kartoffeln (am besten mehligkochende Sorte)

1 TL Salz

1 Zwiebel

50 g Butter

150 – 200 ml Milch

frisch geriebene Muskatnuß

1 Die Kartoffeln waschen, schälen und halbieren, ganz große Knollen vierteln. Die Stücke in warmem Salzwasser aufsetzen. Deckel drauf, schnell aufkochen und gut 15 Minuten bei mittlerer Hitze garen.

2 Inzwischen die Zwiebel schälen, halbieren und in dünne Streifen schneiden. Die Butter in einem Topf schmelzen lassen und die Zwiebel darin bei mittlerer Hitze bräunen. Die Milch aufkochen.

3 Das Wasser von den Kartoffeln abgießen und sie 1 Minute im Topf ohne Deckel ausdampfen lassen. Dann die Stücke gut stampfen oder durch die Kartoffelpresse zurück in den Topf drücken.

4 Nun die heiße Milch dazugießen und alles gut verrühren – anfangs mit dem Löffel, dann mit dem Schneebesen, damit das Püree luftig wird. Muskatnuß mit der Reibe drüberreiben.

5 Jetzt kommt's drauf an: Butter und Zwiebel ins Püree rühren oder drübergeben? Kleiner Tip: Butter durchs Sieb gießen und drunterrühren, Zwiebel drüberstreuen. Besser geht's nicht.

So viel Zeit muß sein: 30 Minuten
Das schmeckt dazu: Braten, Rouladen, Bratfisch
Kalorien pro Portion: 250

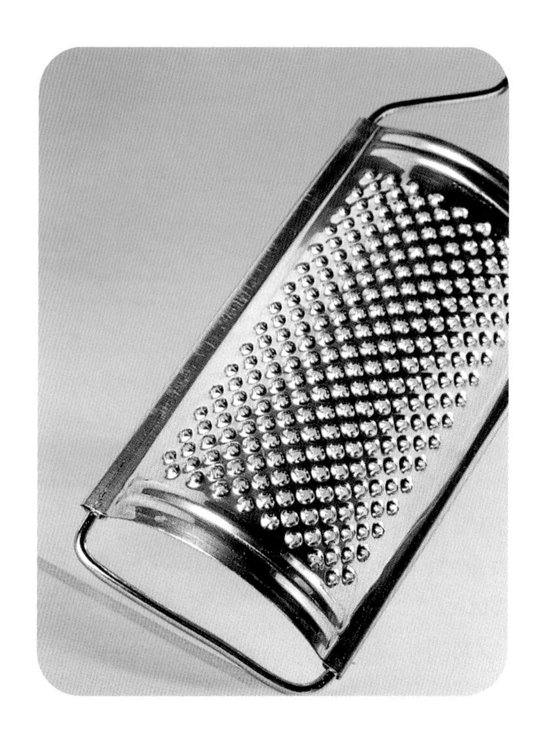

Basic Tip

So gut und doch so kalt, das ist der alte Zwiespalt beim Püree. Wichtig für Wärme ist schon mal, daß alle Zutaten so heiß wie möglich zusammenkommen. Wenn das Püree dann bei ganz schwacher Hitze auf dem Herd aufgeschlagen wird, bleibt es nicht nur heiß, sondern wird auch luftiger. Und zum Heißhalten setzen Sie den Topf am besten auf einen gleich großen mit siedendem Wasser.

Pizzabacken
Ein Kinderspiel

Kaum ein Gerücht hält sich länger als das: Hefeteig ist kompliziert, langwierig und geht oft schief. Alles Lüge!

Für 4 Hungrige:

Der Pizzateig:

300 g Mehl
1 kräftige Prise Salz
4 EL Olivenöl
20 g frische Hefe (oder 1 Päckchen Trockenhefe, Haltbarkeitsdatum prüfen!)
Fett fürs Blech

Die Tomatensauce:

1 Zwiebel
2 Knoblauchzehen
1 EL Olivenöl
1 große Packung Pizzatomaten (oder 1 große Dose geschälte Tomaten, 800 g)
Salz, Pfeffer aus der Mühle

Die freie Wahl:

Mozzarellascheiben, Basilikum
Oliven, Sardellen, Kapern
Schinken, Artischocken (aus dem Glas)
frische Pilze, Salami, Peperoni
Thunfisch, Paprika, Zwiebeln
Ziegenkäse, Rucola, Nüsse ...
1–2 EL Olivenöl zum Beträufeln

1 Einfacher geht's nicht: Das Mehl mit Salz und Öl in einer Schüssel mischen. Die frische Hefe in $^1/_8$ l lauwarmem Wasser auflösen und glattrühren, unters Mehl mischen. (Trockenhefe gleich mit dem Mehl mischen, dann Öl und lauwarmes Wasser dazu). Alles zu einem geschmeidigen Teig kneten, mit Hand oder Knethaken. Die Schüssel mit einem Tuch bedecken, den Teig etwa 45 Minuten gehen lassen, bis sein Volumen sich verdoppelt hat. Das war's!

2 In der Zwischenzeit Tomatensauce zubereiten und alles, was an Belag aufzutreiben ist, bereitstellen.

3 Zwiebel und Knoblauch schälen und fein hacken. In heißem Olivenöl andünsten, Pizzatomaten einrühren (Dosentomaten vorher kleinschneiden). Sauce bei mittlerer Hitze im offenen Topf musig einkochen lassen, mit Salz und Pfeffer würzen.

4 Den Backofen auf 250 Grad vorheizen (auch schon jetzt: Umluft 220 Grad). Ein Backblech einfetten. Den Teig aus der Schüssel nehmen, auf dem bemehlten Tisch nochmal kräftig durchkneten. In der Größe des Backblechs ausrollen, aufs Blech legen, die Ränder zu einem Wulst formen.

5 Die Tomatensauce auf dem Teig verstreichen – und jeden seine Ecke selbst belegen lassen. Wenig Olivenöl darüber träufeln und 15 – 20 Minuten backen.

So viel Zeit muß sein: 1 $^1/_2$ Stunden
Das schmeckt dazu: Rotwein aus Italien
Kalorien pro Portion: 410

Schinken-Käse-Quiche

Super einzufrieren als Notvorrat

Für 4 – 6 Hungrige:

250 g Mehl
$^1/_2$ TL Salz
125 g kalte Butter
100 g gekochter Schinken
100 g roher Schinken (muß nicht der teuerste sein)
1 Zwiebel
2 Knoblauchzehen
150 g Hartkäse (z. B. Greyerzer, Emmentaler oder Bergkäse)
250 g Sahne
4 Eier
Pfeffer aus der Mühle
1 Bund Schnittlauch oder Petersilie

1 Das Mehl auf den Tisch häufen, salzen und eine Mulde in die Mitte drücken. 2 – 3 EL richtig kaltes Wasser hineingeben. Die Butter in kleinen Stückchen auf dem Mehlrand verteilen, dann mit einem großen Messer alles kreuz und quer durchhacken, bis sich die Butter mit dem Mehl krümelig verbunden hat. Dann rasch zu einem glatten Teig kneten. In Folie wickeln, 30 Minuten in den Kühlschrank legen.

2 Genügend Zeit, um den Schinken in Streifen zu schneiden, Zwiebel und Knoblauch zu hacken, den Käse zu reiben. Zeit auch noch, um Sahne, Eier und Pfeffer kräftig zu verquirlen und Kräuter kleinzuschneiden.

3 Jetzt den Backofen nicht vergessen: auf 220 Grad vorheizen (erst später einstellen: Umluft 200 Grad).

4 Den Teig auf dem leicht bemehlten Tisch rund ausrollen, eine Quicheform (28 – 30 cm) damit auslegen, den überstehenden Rand ringsum abschneiden.

5 Schinken mit Zwiebel, Knoblauch und Kräutern mischen, auf dem Teig verteilen. Käse in die Eiersahne rühren, drübergießen. Die Quiche in ungefähr 40 Minuten goldbraun backen. Nach etwa 20 Minuten mit Alufolie (matte Seite nach außen) abdecken, damit sie nicht zu dunkel wird.

So viel Zeit muß sein: Aktiv sein 1 Stunde, Backen 40 Minuten
Das schmeckt dazu: grüner Blattsalat
Kalorien pro Portion (6): 685

Salat & Sup

Wer Sinn fürs Wesentliche und für Details hat, der kann wirklich kochen

e

pen

Wer gute Salate macht, hat Sinn für Details. Der schaut darauf, daß die Blätter auf einen Biß in den Mund passen, daß die Tomatenstücke nicht eiskalt sind, daß Sauce und Zutaten sich ergänzen. Und dann wird alles gut gemischt – früh genug, damit der Salat rund schmeckt, und spät genug, damit er nicht zum Einheitsmatsch wird.

Wer gute Suppen kocht, hat Sinn fürs Wesentliche. Der überlegt sich schon am Anfang, was zum Schluß herauskommen soll und wann dafür was in den Topf kommen muß.

Wer Sinn fürs Wesentliche und für die Details hat, der kann wirklich kochen.

Wer schlechte Salate und Suppen macht, kann's nicht. Tut uns wirklich leid, aber es ist so.

Es ist aber auch so, daß sich gute Suppen und Salate ganz leicht machen lassen.

Und wer das erst einmal kann ...

Unsere liebste Zutat

Die Zwiebel

engl. onion; franz. oignon; ital. cipolla

Das ist sie
• die gemeine Hauszwiebel in brauner Schale, die klein und beißend oder faustgroß und mild sein kann
• die aromatische weiße Zwiebel
• die mild-aromatische rote Zwiebel
• die Schalotte, fein und kraftvoll zugleich
• die erfrischende Lauchzwiebel

Das hat sie
• 28 Kalorien je 100 g
• 5 g Kohlenhydrate
• kaum Eiweiß und Fett
• Kalium und Vitamin C

Das tut sie
• die Atemwege durchpusten
• den Atem nehmen
• die Verdauung auf Trab bringen
• das Blut reinigen
• zu Tränen rühren

Das will sie
• ein wenig kühl, ganz dunkel und völlig trocken lagern
• dabei immer für sich sein – sonst schmeckt bald alles nach ihr
• möglichst frisch geschnitten werden, sonst wird sie bitter
• vor dem Kochen angedünstet werden, sonst wird sie nie weich
• nicht zu lange im Salat liegen, sonst wird der ungenießbar

Das mag sie
• gebraten werden, das macht sie würzig und knusprig
• langsames Dünsten, das macht sie süß und saftig
• kräftigen Beistand, der es mit ihr aufnehmen kann – Würziges, Scharfes, Saures, Fettes, Geräuchertes, Gebratenes
• die süßen und sahnigen Kontraste
• keine halbgaren Sachen

Guter Durchzug

Was ist schlimmer als Nudelsalat, der nur eine Viertelstunde in seiner Sauce durchziehen durfte? Kopfsalat, der schon eine Viertelstunde in seiner Sauce durchziehen mußte. Die idealen Marinierzeiten für Salate auf einen Blick

1 Min.	zarte Blattsalate (Batavia, Eichblattsalat, Feldsalat, Kopfsalat, Rucola usw.) am besten ganz frisch
bis 5 Min.	festere Blattsalate (Chinakohl, Radicchio, Endivien, Romana, Chicorée, Frisée usw.)
15 Min.	Tomatensalat, warmer Kartoffelsalat
halber Tag	Nudelsalat, Kartoffelsalat
über Nacht	Heringssalat
ganzer Tag	Reissalat

Brühe

Eine anständige Brühe gibt ordentlich Halt.

Für alle Fälle ist da Gemüsebrühe am besten, weil sie relativ neutral schmeckt. Und sie läßt sich leicht selber machen. Einfach ein paar Lieblingsgemüse waschen, putzen und mit Lieblingsgewürzen, Lieblingskräutern und einer Prise Salz in einen Topf packen. Alles zwei Fingerbreit mit Wasser bedecken, langsam aufkochen und je nach Gemüse 30–60 Minuten köcheln lassen. Zartere Kräuter kommen mit Stiel in den letzten 15 Minuten in die Brühe. Zum Schluß wird sie durchs Sieb gegossen und abgeschmeckt. Clever: Reste vom Gemüseputzen für die Brühe hamstern.

Gute Brühgemüse: Zwiebeln, Tomaten (für Grundgeschmack und -farbe); Lauch, Sellerie, Möhren und andere Wurzeln; Pilze, Paprika, Fenchel (geben Eigengeschmack); Blumenkohl, Broccoli.

Gute Gewürze und Kräuter (immer ganz): Pfeffer, Muskat, Wacholder, Nelken; Lorbeer, Rosmarin, Thymian, Bohnenkraut; Schnittlauch, Petersilie, Estragon, Basilikum (zum Schluß); Ingwer, Zimt, Fenchel, Safran, Kümmel für Specials.

Essig

Wie entsteht Essig? Ganz einfach: Wein aufmachen und sofort wieder vergessen.

Dann wird der irgendwann sauer. Weil in der Luft immer ein paar Bakterien herumschwirren, die nur auf offenen Alkohol warten, um ihn in Essigsäure umzupolen. Und je nach dem Sprit hat der Essig dann seinen Geschmack und Namen. Ein eher saurer Fusel ist Branntweinessig, dessen Basis geschmackloser Schnaps aus vergorenen Zuckerrüben oder Kartoffeln ist. Ein bißchen besser kommt schon Wein-Branntweinessig, in dem immerhin ein Viertel Weinessig stecken muß. Dieser kann pur etwas ganz Feines sein, wenn es denn der Wein auch war und die Essigmacher ein bißchen mehr als die Flasche-auf-und-vergessen-Methode beherrschen. Bei einem guten Balsamico tun sie das bestimmt, denn der reift in einem ziemlich ausgeklügelten Hin und Her über Jahre aus Traubenmost.

Weitere Essig-Typen: Sherryessig, Apfelessig, Himbeeressig, Estragon- und andere Kräuteressige, Malzessig (very british), Bieressig (very bairisch), Reisessig (very asiatisch). Essigessenz ist nur was für den Putzschrank.

Öl

Wie entsteht Öl? Unter Druck und aus Pflanzen.

Das ist sogar beim Erdöl so, das sich die Erde aus steinzeitlichen Farnresten usw. abgepreßt hat. Speiseöl wird aus ölhaltigen Früchten und Samen gewonnen. Meistens gibt es dabei mächtig Druck, so daß es ziemlich heiß in der Presse wird. Um die letzten Tropfen noch herauszukriegen, kommt oft ein Lösungsmittel dazu. Wenn das wieder draußen ist und auch sonst aller trüber Ballast herausgezogen wurde, hat man raffiniertes Öl. Das brät gut, schmeckt aber nach nichts. Im Salat taugt es aber gut als Geschmacksvermittler. Aroma satt bieten kaltgepreßte Öle, die bei maximal 60 Grad gewonnen und weder raffiniert noch gelöst werden, was ihren Eigengeschmack erhält. Der kann manchmal sehr eigen sein, also im Zweifel erst mal probieren. Olivenöl ist übrigens immer kalt gepreßt.

Weitere Öl-Typen: Sonnenblumen-, Maiskeim- und Rapsöl (meist raffiniert, oft auch gemixt als Pflanzen- oder Salatöl); Kürbiskernöl, Nußöl, Sesamöl (sehr aromatisch, solo oft zu kräftig).

Salz

Salz kommt immer aus dem Meer. Ehrlich.

Selbst dort, wo heute Bergmänner am Steinsalzklopfen sind, war früher Meer. Das ist dann im Laufe der Zeit verdunstet, und zurück blieb das Salz, auf das sich später noch anderes Gestein legte. Heute kommt dieses Salz meist in Wasser gelöst wieder ans Tageslicht. Das besorgt entweder die Natur, oder der Mensch hilft mit Wasserleitung und Pumpe nach. Und dann wird wieder verdunstet, meist per Druck und Dampf. Früher kochte man das Salz in großen Pfannen aus, und darum heißt es bis heute Kochsalz – also nicht deswegen, weil wir es ins Nudelwasser werfen. Beim Meersalz wird sich der ganze Umweg durch Gesteinsschichten und über Jahrmillionen gespart. Um an es heranzukommen, wird Meerwasser in spezielle Salzgärten geleitet, wo es dann wie eh und je verdunstet und Salz übrigläßt. Das muß zwar noch kräftig gereinigt werden, schmeckt am Ende aber trotzdem mehr als nur salzig – eben nach Meer. Ist dann noch Jod drin (hält die Schilddrüse im Zaum), ist es besonders gut. Andere Zusätze wie Kräuter oder Vitamine gibt es aber woanders frischer und besser.

In

Nicht immer nur Essig, Öl & Salz: Dressing mit Zitrone, Frischkäse oder Sojasauce • die gutsortierte Essig & Öl-Bar • frische Kräuter • genug Brühe im Tiefkühler • Parmesan über Salat und Suppe • vorgewärmte Suppenteller • Terrine statt Topf auf dem Tisch • Gemüseeintopf mit Curry und Kokosmilch • Für immer und ewig: Balsamico am Salat, Muskatnuß an der klaren Brühe

Out

Wasser am Salat und im Dressing • Altöl in der Salatbar • Petersilie und Schnittlauch getrocknet • Rosmarin, Thymian oder Oregano im Dressing • Blatt für Blatt zur Maulsperre • Sprit im Dressing • Supersuppe und kein Nachschlag • nur Sahne statt Substanz in der Suppe • Eintopf in Espressotassen • Nudeln in Cremesuppen • Nie und nimmer: fettige Salate, lauwarme Suppen

Feldsalat mit Speck und gebratenen Champignons

Nur den besten Freunden verraten: mit Champignon-Trick!

Für 4 Hungrige als Vorspeise:

150 g durchwachsener Räucherspeck

200 g Feldsalat

250 g Champignons

2 EL neutrales Öl zum Pilzebraten

Salz, Pfeffer aus der Mühle

1 Schuß trockener Weißwein (oder Sherry oder Cognac oder Aceto balsamico)

1–2 EL Rotweinessig

2–3 EL Sonnenblumenöl

1 Räucherspeck ohne Schwarte in kleine Würfel schneiden, ohne Öl in einer Pfanne bei mittlerer Hitze knusprig braten.

2 Feldsalat in viel Wasser waschen, am besten 2–3 mal, damit später kein Sand zwischen den Zähnen knirscht. Dicke Wurzelenden abzwicken. Salat im Sieb gut abtropfen lassen.

3 Auf zum Champignon-Trick (geht auch mit allen anderen Pilzen): Champignons trocken – z. B. mit Küchenpapier – abreiben, auf keinen Fall waschen. Schmutzige Füßchen abschneiden. Pilze vierteln oder halbieren. 2 EL Öl in einer großen Pfanne (mit passendem Deckel) knallheiß werden lassen. Pilze rein, kurz schwenken, salzen und pfeffern. Dann den Schuß Wein (großzügig!) angießen und sofort den Deckel drauf. 1 Minute Geduld – und fertig sind die köstlich mit Aroma vollgesogenen Dampf-Pilze.

4 Essig mit Sonnenblumenöl verquirlen, salzen, pfeffern. Pilze aus der Pfanne mit dem Bratsaft auf dem Feldsalat verteilen, mit Speck bestreuen, Vinaigrette untermischen. Sofort servieren.

So viel Zeit muß sein: 30 Minuten
Das schmeckt dazu: frisches Brot
Kalorien pro Portion: 330

Caesar's salad
Very trendy - direkt aus Kalifornien

Für 4 Hungrige als Auftakt:

1 großer Romanasalat

100 g Bacon (geräucherter Frühstücksspeck in Scheiben)

2 Scheiben Toastbrot oder Kastenweißbrot

3 EL Sonnenblumenöl

2 Knoblauchzehen

2 ganz frische (!) Eier

3–4 EL Zitronensaft

100 ml Olivenöl

2–3 TL Worcestersauce

Salz, Pfeffer aus der Mühle

2 Sardellenfilets

1 kleines Stück Parmesan (50 g)

1 Den Strunk vom Salatkopf wegschneiden, die einzelnen Blätter waschen und im Sieb abtropfen lassen.

2 Den Bacon in Streifen schneiden, in einer heißen Pfanne bei mittlerer Hitze ausbraten. Brotscheiben würfeln. Speck aus der Pfanne nehmen, Öl angießen, Brotwürfel darin bei mittlerer Hitze zu knusprigen Croûtons braten. Knoblauch schälen, fein hacken, zum Schluß kurz mitbraten.

3 Die Eier anstechen und 1 Minute (nicht länger!) in kochendes Wasser legen. Kalt abschrecken, aufschlagen und das noch fast flüssige Innere mit einem Löffel in eine Schüssel befördern. Mit Zitronensaft, Olivenöl und Worcestersauce verquirlen, salzen und pfeffern.

4 Die Salatblätter quer in 2 cm breite Streifen schneiden. Die Sauce untermischen. Sardellenfilets abspülen, trocknen und kleinschneiden, mit dem Bacon und den Brotcroûtons auf den Salat streuen. Den Parmesan grob drüberraspeln.

So viel Zeit muß sein: 30 Minuten
Das schmeckt dazu: frisches Weißbrot
Kalorien pro Portion: 450

Rucola, immer wieder Rucola

Rasant & auch ein bißchen elegant

Rucola (ital.), Rauke (dt.), Roquette (franz.) – der einstige Geheimtip aus Italien liegt bei uns längst auch im normalen Supermarkt. Nicht nur toll für Gäste, sondern auch DIE Lösung schlechthin für salatessende Singles – 1 Bund davon ist klein genug auch für den allerkleinsten Appetit.

Für 4 Genießer als Vorspeise:

3–4 Bund Rucola (mindestens 300 g)

2 EL Aceto balsamico

Salz, Pfeffer aus der Mühle

4 EL gutes Olivenöl

10 getrocknete, in Öl eingelegte Tomaten

1–2 EL Kapern

2 Scheiben Weißbrot

1 Knoblauchzehe

1 Die harten Rucolastiele abschneiden, Blätter kurz in Wasser schwenken und im Sieb abtropfen lassen. Aceto balsamico, Salz, Pfeffer, Olivenöl kräftig verquirlen.

2 Tomaten aus dem Öl nehmen, in Streifen schneiden. Kapern aus dem Glas holen. Weißbrot würfeln. Vom Tomatenöl 1–2 EL in der Pfanne heiß werden lassen, Brotwürfel darin bei mittlerer Hitze knusprig rösten. Knoblauch schälen, drüberpressen.

3 Rucola und Dressing untereinanderrühren, mit Tomaten, Kapern und Brot bestreuen. Fertig!

So viel Zeit muß sein: 25 Minuten
Das schmeckt dazu: leichter trockener Weißwein, toskanisches Weißbrot oder Olivenbrot oder anderes tolles Weißbrot
Kalorien pro Portion: 150

Varianten:

Mit Käse und Nüssen

Statt Tomaten und Brot 2 EL Pinienkerne (kurz in der heißen Pfanne ohne Fett anrösten – super lecker!) und 2 EL grob geraspelten Parmesan draufstreuen. Dressing drüber.

Mit Pilzen und Schinken

150 g rohe Champignons putzen, also abreiben und Füßchen weg, dann in dünne Scheibchen schneiden und mit 1 EL Zitronensaft beträufeln. 4–6 Scheiben Parmaschinken in feine Streifen, 1 Kugel Mozzarella in Würfel schneiden. Mit Rucola anrichten, salzen und grob pfeffern, mit dem Dressing begießen.

Mit Avocado und Garnelen

1 reife, aber nicht zu matschige Avocado längs aufschlitzen, die Hälften gegeneinanderdrehen und vom Stein lösen. Schälen, quer in dünne Scheiben aufschneiden, mit 1–2 EL Zitronensaft beträufeln. 150 g kleine geschälte Garnelen abbrausen und gut abtropfen lassen. 100 g Kirschtomaten waschen und halbieren. Avocado, Garnelen und Kirschtomaten mit dem Rucola anrichten, alles mit dem Dressing beträufeln.

Vinaigrette
Echt basic

Der Klassiker schlechthin – nicht nur fein für Salate aller Art, sondern auch zum Marinieren von Fleisch und Fisch, zum Dippen mit Artischockenblättern, zum Bestreichen von Gegrilltem. Je nach Auswahl der Essig-, Öl- und Senfsorte kann jeder für sich seine ultimative Lieblings-Vinaigrette entdecken.

Für einen 4-Personen-Salat:

1 TL Senf (ausprobieren mit Dijon-Senf!)

2–3 EL Weinessig (Weiß oder Rot)

Salz, Pfeffer aus der Mühle

6 EL Öl (Sonnenblumenöl, Olivenöl, einen Teil Nußöl)

1 Senf, Essig, Salz und Pfeffer mit dem Schneebesen in einer Schüssel kräftig verquirlen. Das Öl einlaufen lassen und alles zu einer leicht cremigen Sauce rühren, nochmal abschmecken – voilà!

So viel Zeit muß sein: 2 Minuten
Das schmeckt dazu: fast alles, was sich Salat nennt
Kalorien pro Portion: 110

Varianten:

Grundlage ist immer das Rezept links.

Tomaten-Vinaigrette

1 Tomate kurz in kochendes Wasser legen, abschrecken und die Haut abziehen. Tomatenfleisch in winzige Würfelchen schneiden und untermischen. Toll zu gekochtem Rindfleisch, zu lauwarmen Linsen, zu aufgeschnittenem Mozzarella.

Kräuter-Vinaigrette

1 Bund frische Kräuter waschen und sehr fein hacken, zum Schluß untermischen. Mit Petersilie z. B. zu Artischocken, mit Schnittlauch zu lauwarmem Spargel, mit Dill zu Gurkensalat oder zum Marinieren von gedünstetem Fischfilet.

Joghurt-Dressing
Macht fit for fun

Reicht für 4:

150 g Joghurt

2 EL Zitronensaft oder Weißweinessig

1 EL Sonnenblumenöl

Salz, Pfeffer aus der Mühle

1 Bund Kräuter (z. B. Schnittlauch, Dill, Basilikum)

1 Den Joghurt mit Zitronensaft oder Essig und dem Öl glattrühren, salzen und pfeffern.

2 Kräuter waschen, fein hacken und einrühren. Nochmal abschmecken.

So viel Zeit muß sein: 8 Minuten
Das schmeckt dazu: Blattsalate, Tomatensalat, Gurkensalat, Nudelsalate, gegrilltes Gemüse
Kalorien pro Portion: 45

Käse-Dressing
Von ziemlich stark bis ziemlich zart

Reicht jeweils für 4:

50 g Roquefort ohne Rinde

50 g Sahne

1–2 EL Weißweinessig

Pfeffer aus der Mühle

2 EL Sonnenblumenöl

oder:

50 g Frischkäse, 50 g Joghurt

1–2 EL Zitronensaft

Salz, Pfeffer aus der Mühle

1 EL Sonnenblumenöl

1 Für die mit dem Drang zum Kräftigen: Den Roquefort mit einer Gabel zerdrücken, mit Sahne schön cremig verrühren. Essig dazu, leicht pfeffern und zuletzt das Öl untermischen.

2 Für die mild Gestimmten: Frischkäse mit Joghurt und Zitronensaft verrühren, leicht salzen und pfeffern. Zuletzt das Öl unterrühren.

So viel Zeit muß sein: jeweils 5–10 Minuten
Das schmeckt dazu: zum Roquefort kräftige Blätter wie Spinat, römischer Salat oder Chicorée, zum Frischkäse geraspelte Möhren, Bohnenkeimlinge, Radieschen, Kresse
Kalorien pro Portion: 510 (1), 260 (2)

Zitronen-Dressing
Basic vom Mittelmeer

Reicht für 4:

1/2 unbehandelte Zitrone

1–2 TL scharfer Senf (Dijon!)

Salz, Pfeffer aus der Mühle

1 Knoblauchzehe

4–5 EL Olivenöl

1 Die Schale der Zitrone heiß waschen, abreiben, Saft auspressen. Beides mit dem Senf verrühren, leicht salzen und pfeffern.

2 Knoblauch schälen und dazudrücken. Das Olivenöl und 1 EL Wasser löffelweise mit dem Schneebesen unterschlagen.

So viel Zeit muß sein: 10 Minuten
Das schmeckt dazu: gegrillte Auberginen, Zucchini, weiße Bohnen, Tintenfisch ...
Kalorien pro Portion: 95

Variante zum Zitronen-Dressing:
3–4 Sardellenfilets abspülen, abtrocknen, fein hacken und untermischen. Nicht fischig, sondern fein – vor allem zu den weißen Bohnen.

Eier-Dressing
Fast schon ein kleiner Salat

Reicht für 4:

2 hartgekochte Eier

3 EL Weißweinessig

1 TL Senf

1 EL saure Sahne

Salz, Pfeffer aus der Mühle

5 EL Öl (Sonnenblumenöl, Olivenöl)

einige Basilikumblätter

1 Die Eier pellen und in sehr feine Würfelchen schneiden.

2 Erstmal den Essig mit Senf, saurer Sahne, Salz und Pfeffer verquirlen. Dann das Öl löffelweise unterrühren, zuletzt die Eierwürfel rein.

3 Basilikumblätter waschen oder abreiben, in feine Streifen schneiden und auch untermischen.

So viel Zeit muß sein: 10 Minuten
Das schmeckt dazu: lauwarmer Spargel, Feldsalat, frische Champignonscheibchen, Brunnenkresse-Salat. Aber auch als Sauce zu gekochtem Rindfleisch, kaltem Braten, saftigem Schinken
Kalorien pro Portion: 135

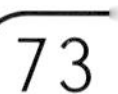

Chinesisches Fondue

Großes Koch-Fest

Und gesund ist's auch noch – denn beim „Feuertopf" (so heißt auch das Originalgerät fürs chinesische Fondue) wird nichts ins mollige Fettbad getaucht, sondern alles in frisch gekochte Hühnerbrühe. Für Leute mit Zeitnot: fertigen Hühnerfond im Glas kaufen, 1:2 mit Wasser verdünnen.

Für 5 Gäste + 1 Gastgeber:

25 g getrocknete Shiitake-Pilze (Tongku)
50 g Glasnudeln
300 g Putenbrustfilet
300 g Rinderlende
300 g Fischfilet (z. B. Lachs, Thunfisch, Heilbutt)
für jeden 1–2 große Garnelen
2 Bund Frühlingszwiebeln
300 g Möhren
1 kleiner Chinakohl
(oder auch anderes frisches Gemüse wie Blattspinat, Kohlrabi, Lauch)
etwa 3 l Hühnerbrühe (siehe Basic Tip)

Marinaden, Saucen, Beilagen:

Sojasauce, Sesamöl, Erdnußöl, Sherry oder Sake, Ingwerknolle, Knoblauch, Zitronensaft, Pfeffer aus der Mühle, Chilipulver ...
asiatische Fertigsaucen wie Pflaumensauce, Sambal oelek ...
einige frische Chilischoten

1 Die Pilze in Wasser einweichen, später die harten Stiele wegschneiden. Glasnudeln auch kurz ins Wasser legen, dann im Sieb abtropfen lassen und mit der Küchenschere kleiner schneiden. Fleisch und Fisch in feine Streifen schneiden und jede Sorte für sich in eine Schale geben. Das Gemüse putzen und in streichholzfeine Stifte schneiden.

2 Nach Lust und Laune Marinaden für Fleisch und Fisch anrühren. Zum Beispiel jeweils 2 EL Sojasauce, Sesamöl und Zitronensaft für den Fisch. Oder 2–3 gehackte Knoblauchzehen, etwas Chilipulver, frisch gemahlenen Pfeffer und 2–3 EL Erdnußöl fürs Rindfleisch. Fürs Huhn vielleicht 2 EL Zitronensaft, 2 EL Sesamöl, 1 EL gehackten Ingwer.

3 Es geht aber auch ganz ohne Marinaden – Fleisch und Fisch schmecken auch pur in die Brühe getaucht, vor allem, wenn's dazu tolle Saucen gibt.

4 Aber ganz soweit sind wir noch nicht: Die Brühe muß noch auf dem Herd aufkochen, wird dann in den Topf oder Fonduetopf gefüllt und aufs Rechaud gestellt. Alle Zutaten und Saucen vorher in Schälchen füllen, auch die Sojasauce steht bereit. Frische Chilischoten waschen und in Ringe schneiden – manche Gäste mögen's wirklich scharf!

5 Für jeden Gast 1 Siebchen am Stiel – mit den normalen Fonduegabeln sieht man hier nämlich alt aus! Einfüllen, was gefällt, und in der heißen Brühe 1–2 Minuten garen. Querbeet probieren und immer wieder neu würzen. Zum Schluß der Höhepunkt: Der heiße Brüherest für alle – mit dem Geschmack vieler glücklicher Begegnungen im Suppentopf.

So viel Zeit muß sein: Brühe 2 1/2 Stunden (die kocht aber von alleine), restliche Aktivitäten 1 Stunde
Das schmeckt dazu: Reis
Kalorien pro Portion: 340

Basic Tip

Selbstgekochte Hühnerbrühe

Im großen Topf 4 l Wasser aufkochen. 2 geschälte und halbierte Zwiebeln dazu, 2 Lorbeerblätter, 1 EL Salz, ein paar Pfefferkörner. Ein Suppenhuhn von 1,5 kg hinein, dann runterschalten und bei schwacher Hitze etwa 1 1/2 Stunden zugedeckt ziehen lassen. Dann 2 Bund Suppengrün putzen, waschen, kleinschneiden. Zum Huhn geben, ohne Deckel nochmal 1 Stunde ziehen lassen, ab und zu den Schaum abschöpfen. Das Huhn rausnehmen (schmeckt abgekühlt und in Stückchen geschnitten mit Zitronen-Dressing, siehe Seite 73), Suppe durch ein feines Sieb gießen. Das Fett mit einem Löffel abschöpfen oder mit Küchenpapier aufsaugen. Abschmecken mit Salz, Pfeffer und – Zitronensaft!

Sauce & Dip

Bei mir gibt's nur gute Sauce oder viel Sauce ...

n

s

Etwas Sauce?

„Überflüssig. Fleisch, Fisch, Spiegelei, geht auch alles ohne.“

Aber Braten ohne Sauce wäre nur der halbe Spaß.

„Und weniger Arbeit. So gehste mit einem Eimer Zeug in die Küche und kommst nach vier Stunden mit einer Tasse Sauce wieder raus.“

Magst du Musik?

„Ja, und?“

Die braucht es so wenig zum Leben wie Sauce zum Essen. Und trotzdem ist sie für viele das Beste, was man kriegen kann.

„Komm zum Punkt.“

Wer weiß, wie er den Zutaten ihr Bestes für eine gute Sauce abluchsen kann, der ist ein echter Kochkünstler.

„Chinesen und Italiener sind auch ohne viel Sauce Kochkünstler.“

Du kannst ja Pesto oder Sojasauce zum Braten haben.

„Dann lieber doch was von deinem Zeug. Aber viel!“

Bei mir gibt’s nur gute Sauce oder viel Sauce.

„Dann koch’ ich das nächste Mal. Mit viel guter Sauce.“

Ja schau mal an.

Unsere liebste Zutat

Das Ei

engl. egg; franz. oeuf; ital. uovo

Das ist es

- in diesem Buch immer ein Hühnerei
- erst nur der Dotter; um den legen sich auf dem Weg durchs Huhn vier Schichten Eiklar und die Schale
- in 4 Gewichtsklassen eingeteilt: S (Small) unter 53 g, M (Medium) 53 g bis 63 g, L (Large) 63 g bis 73 g und XL (XLarge) über 73 g

Das hat es

- 100 Kalorien je 60-g-Ei
- 8 g wertvolles Eiweiß
- 7 g Fett und reichlich Cholesterin im Dotter
- kaum Kohlenhydrate
- ordentlich Calcium, Phosphor, Eisen, Vitamin A, E, B_2, Natrium, Kalium

Das kann es

- beim Aufschlagen Luft holen und so Saucen schaumig machen
- bei Hitze standfest werden und damit Hollandaise Halt geben
- Verbindungen schaffen – z. B. zwischen Fett und Flüssigkeit in der Mayonnaise
- hart kochen und dann Dips bereichern

Das will es

- eine glückliche Mama. Also ein Huhn aus Freiland- oder Auslaufhaltung. Alle anderen leben in Ställen – also auch Hühner in Bodenhaltung
- frisch gelegt sein. „Extra-Eier" sind nicht älter als 7 Tage, übrige im Laden nicht älter als 21 Tage. Nach 28 Tagen ist offiziell Schluß mit der Haltbarkeit
- im Kühlschrank lagern und sich vor dem Garen in der Küche aufwärmen
- gut gekocht sein: weich in 3 – 4 Minuten, mittel in 5 – 6 Minuten, hart in 10 Minuten

Das mag es

- in der Sauce etwas Säure – von Wein, Essig oder Zitrone
- feine Kräuter wie Dill, Estragon, Kerbel
- Deftiges wie Speck, Käse oder Zwiebeln
- Salz – aber zum Schluß, sonst wird's Rührei labbrig und das Spiegelei fleckig

Die Milch macht die Sauce

Sahne

Das Fett der Milch (in Sahne um die 30 %) läßt Saucen feiner und intensiver zugleich schmecken. Steifgeschlagen macht Sahne auch noch luftig. Deswegen kochen manche Menschen ihre Saucen nur noch damit. Auf die Dauer ist das aber doch etwas fett und fad. Besser ist es, eine solide Sauce am Ende mit frischer Sahne aufzupeppen oder sich mal ganz auf die eigene Kochkunst zu verlassen und Sahne wegzulassen.

Crème fraîche

Bestimmte Bakterien sorgen dafür, daß Sahne sich dicklegt und daraus die fein-säuerliche Crème fraîche oder der ihr ähnliche Schmand entsteht. Die sind beide so fest und cremig, daß sie Saucen nicht nur abrunden, sondern auch binden können. Auch hier ist aber weniger mehr.

Joghurt

In heißen Saucen kommt er meist nur bei Schmorgerichten vor, denen er während der langen Garzeit einen ganz eigenen Touch gibt. Den mag man vor allem im Orient, etwa beim Lammcurry. Kalte Saucen und Dips erfrischt Joghurt mit seiner Säure und erleichtert er mit seinen natürlichen 3 – 4 % Fett. Wer es milder und fetter mag, nimmt lieber saure Sahne.

und sonst ...

... taugt Mascarpone nicht nur für Tiramisu. Ein guter Löffel davon macht z. B. eine Gorgonzolasauce milder und interessanter, wenn er ganz zum Schluß dazukommt. Auch Frischkäse kann Saucen und Dips eine Portion Spezielles geben. Und ein Sabayon mit Buttermilch statt Wein ist mal was ganz anderes.

Die Mehlschwitze kommt

Was gut war, darf wieder kommen. Aber was war an der Mehlschwitze eigentlich gut? Lange stand sie nur für stumpf vom Löffel fallende Pampen. Dann kam die Sahne-Butter-Welle, und die Sauce schien gerettet. Doch irgendwann schwappten nur noch Sahne oder Butter mit einem Stich Pseudo-Sauce auf den Teller. Das war's auch nicht.

Inzwischen haben Trendsetter die Mehlschwitze wieder entdeckt. Weil mit ihr oft eher aus einem guten Ansatz eine bessere Sauce wird, als wenn kräftig zugebuttert wird. Antonin Carême soll sie erfunden haben – der erste Starkoch der Welt und ein ziemlich schlauer Kerl. Muß man auch sein, um dem Geheimnis der „roux" auf die Spur zu kommen.

Da ist einmal die Hitze. Sie läßt das Mehl gären, so daß es klebrig genug zum Binden wird. Damit es dabei weder verbrennt noch aufweicht, kommt erstmal nur heißes Fett ins Spiel. So kann das Mehl bei hoher Hitze kleistern und sich mit Fett vollsaufen, um später nicht in Flüssigkeit zu klumpen.

Und jetzt die Basic-Anleitung für die feine Mehlschwitzensauce:

1 2 EL Butter zerlassen. 2 EL Mehl einrühren, wobei es erst schäumt und dann eine helle, glatte, zähe Masse entsteht. Für dunklere Saucen kann die noch etwas rösten.

2 Jetzt 1/2 Liter lauwarme Flüssigkeit daraufgießen und dabei kräftig mit dem Schneebesen wirbeln. Weiterwirbeln und alles bei ordentlicher Hitze schnell aufkochen, damit nichts anbrennt.

3 Nun unter weniger Wirbeln 10 Minuten köcheln lassen. Dann löst sich das Mehl optimal. Fertig ist die Sauce Carême.

In

Ein ordentlicher Saucenansatz • oder: Saucenwürfel • besser: Eiswürfelvorrat mit hausgemachter Sauce • Mut beim Würzen • Beschränkung auf wenig Gutes • Chutneys • Gemüsesaucen (z. B. aus pürierten TK-Erbsen) • Löffel zum Löffeln, Brot zum Tunken, Kartoffeln zum Matschen • immer und ewig: Reste auf dem Teller mit Sauce mischen, zum Schluß den Teller ablecken (nur unter Freunden)

Out

Fix-und-fertig-Saucen • Saucentopf als Mülleimer für schlechten Wein • Monotonie beim Würzen • tägliche Einheitssauce • Zutatenwirrwarr • alter Knoblauch im Dip • Prosecco- und Rucolasauce (ist: Wein- und Grassauce) • Superschnitzel in Sauce ersäufen • Rezept für spontane Supersauce vergessen • nie und nimmer: weiße Hochzeit mit Spaghetti Napoli (auch nicht unter Freunden)

Fünf fixe 5-Minuten-Saucen

fix zu Nudeln
gehackten Knoblauch mit Oregano in Öl glasig braten, etwas Tomatenmark mitbraten. Passierte Tomaten, Oliven sowie ein paar Kapern und Sardellen dazu. Aufkochen, zerpflückten Dosen-Thunfisch und gehackte Petersilie darin erhitzen

fix zum gebratenen Fisch
ein Stückchen Salatgurke raspeln, im Bratfett andünsten, ordentlich mit Weißwein ablöschen und einen guten Löffel Crème fraîche dazu. Sämig einkochen lassen, mit Dill, Senf und Salz abschmecken

fix zum Steak
Zwiebelstreifen im Bratfett mit einer guten Prise Zucker karamelisieren, mit Balsamico und etwas Brühe ablöschen und zu Sirup einkochen. Kräftig pfeffern, Basilikum einrühren und die gebratenen Steaks darin wenden

fix zu gedünstetem Gemüse
Curry und (falls da) Fenchelsamen im trockenen Topf rösten, ein Pack gewürfelte Tomaten und ein Becher Joghurt dazu, 5 Minuten kochen lassen und mit Salz und etwas Zucker abschmecken. Gemüse damit mischen – oder gleich darin dünsten

fix als Dip
Frische Champignons fein hacken und mit etwas Zitronensaft, viel Schnittlauch und reichlich Pfeffer sowie gerade genug süßer und saurer Sahne zu einem dicklichen Dip verrühren
– schmeckt lecker zu Pellkartoffeln, Röstbrot oder Fritiertem

Grüne Sauce
Die Hesse komme!

7 Kräuter müssen's sein, damit's wie früher schmeckt. Die Mischung für die „Grie Soß" allerdings kann wechseln, und manchmal gibt's praktischerweise einen „Grüne-Sauce-Bund" gleich fertig am Gemüsestand zu kaufen. Dies hier ist auf jeden Fall Sebastian's special favorite.

Reicht für 4 – 6:

1 Bund Schnittlauch

$^1/_2$ Bund Petersilie

1 Handvoll Kerbel

2 – 3 Zweige Borretsch

4 Sauerampferblätter

5 Zweige Pimpinelle

5 Zweige Zitronenmelisse

2 hartgekochte Eier

200 g Crème fraîche

350 g Dickmilch

50 g Mayonnaise

1 TL scharfer Senf

Worcestersauce

Salz, Pfeffer aus der Mühle

1 Alle Kräuter waschen und trockenschütteln, harte Stiele wegschneiden. Kräuter mit einem großen Messer auf einem großen Brett fein hacken. Nicht im Mixer zerkleinern, denn dann schmeckt's bitter.

2 Die Eier pellen und in kleine Würfel hacken. Mit den Kräutern und allen übrigen Zutaten mischen, abschmecken und 1 Stunde durchziehen lassen.

So viel Zeit muß sein: Aktiv sein 30 Minuten, Relaxen 1 Stunde
Das schmeckt dazu: Salzkartoffeln, Pellkartoffeln, gekochtes Rindfleisch, Fisch
Kalorien pro Portion (6): 255

Salsa Verde – die italienische Version der grünen Sauce:

Die 2 hartgekochten Eier sind auch hier richtig – außerdem eine Handvoll Kräuter, am besten glatte Petersilie. Damit's nach Sonne und Süden schmeckt, kommen noch 5–6 eingelegte Sardellenfilets, 2 Knoblauchzehen, 3–4 EL Kapern und mindestens 5 EL Olivenöl dazu. Zuerst nur das Eigelb mit Petersilie, Sardellen, Knoblauch, Öl und Kapern im Mixer pürieren. Dann mit 1–2 EL Weißweinessig, Salz und Pfeffer abschmecken. Eiweiß fein hacken und untermischen. Schmeckt toll zu gebratenem Fisch, Garnelen, Mittelmeer-Gemüse.

Pesto

Vorrat anlegen – im Tiefkühlfach!

Pesto-Puristen holen dafür ihren großen Mörser aus dem Schrank, um echte Handarbeit zu leisten. Im Mixer geht's aber zur Not auch – nicht ganz so fein, nur viel schneller.

Reicht für 4:

1 großes Bund Basilikum

2 EL Pinienkerne

3 Knoblauchzehen

Salz

1/8 l Olivenöl

50 g Parmesan oder Pecorino, frisch gerieben!

1 Basilikumblättchen von den Stengeln zupfen, nicht waschen, höchstens abreiben.

2 In einer trockenen Pfanne die Pinienkerne ganz leicht anrösten – vom Herd nehmen, wenn es zu duften beginnt.

3 Knoblauchzehen schälen, etwas kleiner schneiden. Mit Basilikum, Pinienkernen und 1 Prise Salz im Mixer pürieren – oder im Mörser zerreiben.

4 In eine Schüssel umfüllen. Dann eßlöffelweise Olivenöl und geriebenen Käse unterrühren, bis es nach einer schönen Creme aussieht. Mit Salz abschmecken – fertig!

So viel Zeit muß sein: 20 Minuten
Das schmeckt dazu: Spaghetti oder andere dünne Nudeln, Minestrone oder andere Gemüsetöpfe, zu Fisch und Fleisch, als Aufstrich für Sandwiches
Kalorien pro Portion: 240

Basic Tip

Winterpesto:

Die gleichen Handgriffe wie beim sommerlichen Pesto – aber mit Petersilie, Schalotten, Walnußkernen oder Mandeln, Emmentaler oder Appenzeller und mit Sonnenblumenöl.

Guacamole

Tex mex für Einsteiger

Reicht für 4–6:

2 richtig reife Avocados (geben auf Daumendruck nach)

6–7 EL Zitronensaft

1 Zwiebel

2 Knoblauchzehen

1–2 frische Chilischoten

2 mittelgroße reife Tomaten

2 EL Olivenöl

Salz, Pfeffer aus der Mühle

1 gute Prise Korianderpulver

1 Bund Petersilie

1 Die Avocados längs rundum einschneiden, bis das Messer auf den Stein stößt. Die Hälften gegeneinander drehen und trennen. Den Stein herauslösen, beide nun steinlosen Hälften schälen. Wenn das Avocadofleisch weich genug ist, mit einer Gabel zerquetschen, ansonsten mit dem Pürierstab zermusen. Den Zitronensaft sofort untermischen, damit die Avocados grün bleiben.

2 Zwiebel und Knoblauch schälen, sehr fein hacken. Chilischoten längs aufschlitzen, Kerne und Stiel entfernen, Schoten waschen und fein hacken.

3 Tomaten 1 Minute in kochendes Wasser legen, kalt abschrecken, die Haut ablösen, Tomaten in winzige Würfel schneiden. Alles unter das Avocadopüree mischen, Öl unterrühren, mit Salz, Pfeffer, Korianderpulver abschmecken. Petersilie waschen, fein hacken und untermischen.

So viel Zeit muß sein: 25 Minuten
Das schmeckt dazu: Tortilla-Chips aus der Tüte. Gedünsteter Fisch. Gegrilltes Fleisch. Bratkartoffeln. Kalter Braten. Brot.
Kalorien pro Portion (6): 100

Mayo – hausgemacht!

Macht schwer was her

Superfrische Eier sollten's schon sein, ganz einfach, weil das Eigelb hier roh angerührt und gegessen wird. Wer weniger Öl nehmen will, kann zum Schluß noch ein bißchen Quark oder Joghurt untermischen – damit's schlanker, aber trotzdem eine dicke Creme wird.

Reicht für 4:

- 1 ganz frisches, aber zimmerwarmes Ei (aber nur das Eigelb wird fürs Rezept gebraucht!)
- 1 Prise Salz
- 1 TL Senf
- 1/2–1 EL Zitronensaft
- 1/8 l Öl (Sonnenblumenöl, Olivenöl)

1 Das Ei aufschlagen, Eigelb in eine Schüssel gleiten lassen (was mit dem Eiweiß passieren kann, steht unten im Basic Tip). Salzen, den Senf und knapp 1/2 EL vom Zitronensaft kräftig unterrühren.

2 Dann mit dem Schneebesen oder mit den Quirlen vom elektrischen Handrührgerät weitermachen: Erst mal nur einige Tropfen vom Öl dazuträufeln und kräftig unterschlagen. Dann darf's schon ein dünner Ölstrahl sein – und immer fleißig weiterquirlen. Immer nur so viel Öl nachgießen, daß es sich nicht als kleiner See oben absetzt, sondern gleich in der weichen Masse verschwindet und vom Eigelb gebunden wird.

3 Allmählich wird aus der Eigelbsauce eine mehr und mehr dickliche, cremige Mayonnaise. Wenn alles Öl verbraucht ist, nur noch kurz weiterrühren, bis die gewünschte Konsistenz erreicht ist. Mit Salz, Pfeffer und noch mehr Zitronensaft so abschmecken, wie man es mag.

So viel Zeit muß sein: 15 Minuten
Das schmeckt dazu: von Pommes frites bis Artischocken – das hängt fast nur vom persönlichen Geschmack ab!
Kalorien pro Portion: 170

Varianten:

Knoblauch-Mayonnaise

Gleich am Anfang geschälte und durchgepreßte Knoblauchzehen zum Eigelb geben. Wie viele? Nach Lust und Laune, aber 2 wären schon ok. Paßt zu gebratenem Fisch, zur Gemüseplatte, zum Fondue.

Zitronen-Mayonnaise

1 Zitrone halbieren, eine Hälfte auspressen und den Saft mit dem Eigelb verrühren wie links beschrieben. Die zweite Hälfte abschälen, in winzige Würfelchen schneiden und zum Schluß unter die fertige Mayo mischen. Paßt noch besser zu Fisch, aber auch zu kaltem Braten.

Kräuter-Mayonnaise

Zum Schluß reichlich frisch gehackte Kräuter untermischen, z. B. Petersilie, Schnittlauch, Zitronenmelisse, Dill, Kerbel oder Basilikum. Auch lecker in Kombination mit Knoblauch. Paßt prima zu gegrilltem Sommergemüse, zu gebackenen Champignons, als Aufstrich für Sandwiches.

Remoulade

1–2 Gewürzgurken, 1/2 Zwiebel, 1 Sardellenfilet, etwas Petersilie, Schnittlauch oder Dill fein hacken und mit 1 EL Kapern unter die fertige Mayonnaise rühren. Eventuell noch mit Pfeffer und scharfem Senf nachwürzen. Zu Roastbeef, paniertem Fischfilet und allem, was oben auch genannt wurde.

Basic Tip

Übriges Eiweiß verwenden für Baiser, Kaiserschmarrn oder Riesen-Rührei (einfach mit ganzen Eiern mitbraten).

Fisch

Fisch ist nämlich mehr als nur ein Stäbchen ...

Hier ist alles drin, was schwimmt: im Salzwasser (wie der Kabeljau), im Süßwasser (wie die Forelle) oder in beidem (wie der Wildlachs). Im Meer, im See, im Teich, im Fluß, im Bach. Manchmal auch im Aquarium vom Fischhändler.

Aber das ist nicht das Revier für Basic-Köche, die gehen eher in der Kühltheke auf die Jagd nach fertigen Filetstücken. Oder gleich in der Tiefkühltheke.

Geht in Ordnung, wenn der Fang da nicht jedesmal viereckig und paniert ist.

Fisch ist nämlich mehr als nur ein Stäbchen. Und auch mehr als ein Brathering, Räucherlachs und Thunfisch in Öl.

Und manchmal sind die besten Schwimmsachen zum Essen gar kein Fisch. Krabben, Muscheln, Tintenfisch. Alles hier drin.

Nur Hummer, Austern und Kaviar sind nicht drin.

Man muß ja nicht alles haben ...

Fleis

Von Buletten bis Zitronenhähnchen. Jedem das Seine ...

Wer ißt niemals Buletten, Chicken wings, Chili con carne, Currywurst, Döner Kebap, Entenbrust, Fondue, Frankfurter Würstchen, Gänsebraten, Grillsteaks, Gulasch, Hühnercurry, Lammkeule, Putengeschnetzeltes aus dem Wok, Rouladen, Saltimbocca, Schweinebraten, Wiener Schnitzel, Wurstsemmel oder Zitronenhähnchen?

Der soll jetzt bitte nicht böse sein und einfach auf Seite 133 weiterlesen.

Die übrigen 97 Prozent: Bitte umblättern.

Schulter oder Filet?

Langes Braten dauert länger als kurzes Braten, weil eine Schweineschulter größer ist als ein Steak. Klingt logisch. Ist es aber nicht ganz. Denn wer sich aus der Schweineschulter sein Steak schneidet, muß auch ganz lange darauf warten, bis daraus ein zartes Stück Fleisch geworden ist. Fleisch ist nämlich nichts anderes als Muskeln, und wenn die wie bei der Schulter im Leben viel zu tun hatten, dann sind ihre Fasern fester sowie stärker verbunden. Dieses Fleisch eignet sich für Braten, zum Schmoren und zum Kochen. Ganz anders sieht das in den Ruhezonen des Tierkörpers aus: wenig Arbeit, feine Fasern, feines Fleisch. Und weil der Rücken die ruhigste Zone beim Vierbeiner ist, kommen von dort die zartesten Stücke zum Kurzbraten für Steaks, Schnitzel und Geschnetzeltes.

Zum Braten und Schmoren

Rind: Für rosa Braten Roastbeef und Huft; für Schmorbraten und Rouladen Unterschale, Oberschale, Kugel bzw. Nuß; für Schmorbraten Tafelspitz und Brust; zum Kochen Tafelspitz, Beinfleisch, Brust, Rippe; Schulter für Ragouts

Kalb: Für rosa Braten Rücken und Huft; für Braten Unter- und Oberschale, Kugel bzw. Nuß, Haxe, Brust (zum Füllen) und Schulter; für Ragouts Schulter und Keule

Schwein: Für Braten Rücken, Nacken, Schulter, Keule, Haxen, Brust und Bauch; zum Schmoren Schulter, Brust und Bauch

Lamm: Für rosa Braten der Sattel (Rücken samt Knochen) und die Keule, für Braten und Geschmortes Nacken, Schulter, Brust, Bauch und Haxe

Huhn, Pute und Ente: Im Ganzen zum Braten, die Keulen zum Schmoren. Bei der Pute die Brust im Ganzen und die Oberkeulen zum Braten, Unterkeulen zum Schmoren

Zum Kurzbraten

Rind: Steaks aus Filet, Roastbeef, Hochrippe und Huft; Leber

Kalb: Steaks aus Filet, Rücken (auch Kotelett) und Huft; Schnitzel aus Kugel bzw. Nuß und Oberschale; Leber

Schwein: Steaks aus Filet, Rücken (auch für Koteletts), Huft, Nacken bzw. Kamm; Schnitzel aus Kugel bzw. Nuß und Oberschale; Bauchspeck; Leber

Lamm: Chops, Koteletts und Medaillons aus Rücken und Nacken; Steaks aus der Keule

Bei Huhn, Pute und Ente lassen sich eigentlich alle wichtigen Teile kurzbraten, wobei die Brust immer schneller fertig ist als die Keule

Unser liebstes Fleisch

Das Steak

Unübersetzlich

Das ist es

- vom Rind: Chateaubriand, Filetsteak, Tournedo und Mignon aus dem Filet, Rump- und Sirloinsteak aus dem Roastbeef, T-Bone- und Porterhouse-Steak aus Roastbeef und Filet, Huft

- vom Kalb: Medaillons aus dem Filet, Rücken, Kotelett, Huft
- vom Schwein: Medaillons, Rücken, Kotelett, Nacken
- vom Lamm: Chops, Koteletts, Nackensteaks und Keule
- von der Pute: aus Brust und Oberkeule

Das hat es

- je 100 g etwa 100 Kalorien pro Putensteak, 200 Kalorien pro Rindersteak, 400 Kalorien pro Schweinenacken
- Eiweiß satt – ob man das gut oder schlecht findet, ist Ansichtssache
- mal mehr, mal weniger Fett; mehr Fett schmeckt gut und spricht für ein besser aufgewachsenes Tier, weniger Fett belastet die eigene Gesundheit und Linie weniger
- reichlich B-Vitamine, ordentlich Eisen und bei fetteren Stücken auch Cholesterin

Das will es

- dick und gleichmäßig geschnitten sein
- kühl und luftig lagern
- nicht eiskalt in die Pfanne kommen
- braten ohne zu kochen oder zu brennen
- mit Wender oder Löffel statt Gabel gewendet werden
- auch durchgebraten nicht zäh sein
- vor dem Essen ein paar Minuten ruhen

Das mag es

- hocherhitzbares Fett
- würzige Saucen aus dem Bratensatz
- auch kalte Saucen und Dips
- eine Kruste vom Überbacken
- knusprige Beilagen
- frischen Salat

Alles Handwerk

Ist Steak braten eine Wissenschaft? Profis wissen: Es ist Handwerk, und da gibt es Lehrlinge und Meister. Der Lehrplan zum Steakbraten steht auf Seite 27. Hier geht's um die Meisterprüfung: Auf den Punkt braten am Beispiel eines 2,5 cm dicken Rumpsteaks aus dem Roastbeef

Steak blue
1 Minute anbraten, 2 Minuten entspannen lassen, 2–3 Minuten unter Wenden fertigbraten, 2 Minuten Ruhe

Steak rare
1 Minute anbraten, 2 Minuten entspannen lassen, 3–4 Minuten unter Wenden fertigbraten, 2 Minuten Ruhe

Steak medium rare
1 Minute anbraten, 2 Minuten entspannen lassen, 4–6 Minuten unter Wenden fertigbraten, 2 Minuten Ruhe

Steak medium
1 Minute anbraten, 2 Minuten entspannen lassen, 6–8 Minuten unter Wenden fertigbraten, 2 Minuten Ruhe

Steak well done
1 Minute anbraten, 2 Minuten entspannen lassen, 10 Minuten unter Wenden fertigbraten, 2 Minuten Ruhe

Beim Filetsteak
ist es jeweils 1 Minute weniger, beim Huftsteak 1 Minute mehr. Und jeder neue Zentimeter mehr bedeutet ebenfalls etwa 1 Minute plus. Zu wenig sinnlich? Wie wäre es dann mit der Fünf-Finger-Methode: Man nehme Hand Nr. 1 und drücke mit einem Finger von Hand Nr. 2 auf den völlig entspannten Daumenballen. So fühlt sich ein Steak blue an. Jetzt mit dem Zeigefinger von Hand Nr. 1 (!) auf den Ballen von Hand Nr. 1 drücken: rare. Mittelfinger: medium rare. Ringfinger: medium. Kleiner Finger: well done. Showköche schwören darauf. Alles Handwerk eben.

In
Viele Freunde und ein großer Braten • an die Vegetarier am Tisch denken • Fleisch aus dem Wok • Bio-Speck • Gourmet-Hacksteaks • Putenkeulen statt immer nur Brust • witzige Schnitzel • ein bißchen Fett • weniger Fleisch mit mehr Geschmack • Für immer und ewig: Wiener Schnitzel und Saft-Gulasch

Out
Ein großer Braten und viel Feindschaft • jedem die Fleischeslust versauen • No-Name-Fleisch • Markenfleisch ohne Programm • Paniermehlhacksteaks • Schnitzel nur noch von der Pute • Ewigkauen • Zahnstochern • Nie und nimmer: Fleisch um jeden Preis, das beste Stück für Papa

Let's do the Barbecue

„BBQ" ist die Kurzformel für einen alten, neuen Trend, der von Australien und Amerika nach Europa kommt. Papa würde Grillen dazu sagen. Und er würde sagen: „Bei aller Liebe zu eurer leichten Küche, aber hier geht's nicht ohne Fett." Weil nur mit dem hält man es lange genug auf der Glut aus. Von Natur aus fette Stücke brauchen dabei wenig Hilfe, mageres wird mit Öl bepinselt oder z. B. auf einem Spieß mit Speckstücken kombiniert. Ein edles Steak aus dem Roastbeef ist schnell rosa gebraten und kann daher ohne viel Fett voll Hitze bekommen. Das Schweinerückensteak möchte es sanfter, länger und mit Extra-Fett, bis es durchgebraten ist.

Und so geht's: Damit das Fleisch zart und knusprig zugleich wird, 1 Stunde vor dem Garen aus dem Kühlschrank nehmen. Ein Fettrand wird auf 1 cm Dicke zugeschnitten, bei stark durchwachsenen Teilen auch dünner, und eingeschnitten. Dann sehr heiß angrillen, an einer nicht so heißen Stelle fertiggaren und noch einige Minuten am Rand ruhen lassen. Dabei gilt: je dicker das Fleisch und je länger die Garzeit, desto größer der Abstand zur Kohle. Etwa 10 cm bei Hähnchenkeulen, 6–8 cm bei Steaks und Spießen gehen in Ordnung. Die Zeiten sind ähnlich wie beim Braten.

Und was für ein Grill? Holz und Kohle können für Lagerfeuerromantik sorgen. Aber fluchende Feuermacher, beißende Rauchschwaden und keifende Nachbarn können sie ganz schnell wieder zerstören. Deswegen grillen Ami und Aussie lieber mit Strom und Gas. Es müssen ja nicht gleich die BBQ-Trucks aus Übersee sein, ein ordentlicher deutscher E-Grill tut's auch schon mal. Wenn der genug Platz auf dem Rost und wenig zwischen den Gitterstäben hat – und die Heizschlange nicht so großzügig geformt ist, daß es nur Zebrasteaks gibt, halbroh und halbverbrannt.

Frikadellen, Fleisch-pflanzerl, Buletten ...!

Jedem das Seine!

Für 4 Hungrige:
1 Brötchen vom Vortag
2 Zwiebeln, 2 Knoblauchzehen
1 Bund Petersilie, 1 EL Olivenöl
500 g gemischtes Hackfleisch
(am besten schmeckt's, wenn's der Metzger frisch durchdreht)
2 Eier
1 EL abgeriebene Schale von
1 unbehandelten Zitrone
Salz, Pfeffer aus der Mühle
1 TL Edelsüß-Paprikapulver
1/2 TL getrockneter Majoran
1 EL scharfer Senf oder 1 EL Ketchup
vielleicht ein paar Löffelchen Semmelbrösel
3 EL Butterschmalz

1 Das Brötchen in dünne Scheiben schneiden, mit heißem Wasser begießen und aufweichen lassen. Zwiebeln und Knoblauch schälen und fein hacken. Petersilie waschen und trockenschütteln, möglichst fein hacken.

2 Das Olivenöl in einer Pfanne erhitzen, Zwiebeln, Knoblauch und die Hälfte der Petersilie kurz andünsten. Runter vom Herd und etwas abkühlen lassen.

3 Das Hackfleisch in eine Schüssel geben. Das eingeweichte Brötchen kräftig mit der Hand ausdrücken. In die Schüssel zum Hackfleisch, die Eier und die Zwiebel-Petersilien-Mischung dazu. Alles sehr gut verkneten und durchmischen, je inniger, desto besser bindet der Fleischteig später. Kräftig mit Zitronenschale, Salz, Pfeffer, Paprikapulver und Majoran würzen. Senf oder Ketchup unterkneten. Restliche frische Petersilie untermischen.

4 Aus dem Fleischteig kleine oder größere Portionen (von tischtennisball- bis tennisballgroß) abnehmen und zu Kugeln rollen (dafür immer mal wieder die Hände unter kaltes Wasser halten). Wenn der Fleischteig zum Rollen noch zu weich ist, ein paar Löffelchen Semmelbrösel untermischen. Die Kugeln flachdrücken und nebeneinander legen.

5 In einer großen Pfanne das Butterschmalz erhitzen, die Frikadellen darin bei mittlerer Hitze knusprig anbraten, dann vorsichtig wenden und fertigbraten. Je nach Größe dauert das pro Seite 5 – 7 Minuten.
Frisch aus der Pfanne – einfach genial!

So viel Zeit muß sein: 1 Stunde
Das schmeckt dazu: Senf, frisch geriebener Meerrettich, Gewürzgurken, Bratkartoffeln, Bier
Kalorien pro Portion: 530

Varianten:

Mediterrane Hackbällchen

Kalbshackfleisch mit eingeweichtem Weißbrot und Eiern, mit viel frischem Knoblauch, Pfeffer, Basilikum, einigen Spritzern Zitronensaft, 1 – 2 Löffelchen Tomatenmark würzen. Kleinere Kügelchen drehen und nur leicht flachdrücken. In Olivenöl braten, zum Schluß 1 TL Butter mit in die Pfanne, damit's noch knuspriger wird. Dazu paßt z. B. Paprika-Tomaten-Salat mit weißen Zwiebeln, Weinessig und Olivenöl – oder auch eine dicke würzige Tomatensauce, Weißbrot und ein Glas Rotwein.

Asiatische Meatballs

Rinderhackfleisch mit 1 Ei verkneten, dann frische Ingwerknolle, Knoblauch, Frühlingszwiebeln dazu – alles fein gehackt. Würzen mit etwas abgeriebener Zitronenschale und $^1/_2$ TL Sambal oelek oder einer anderen scharfen Chilipaste, Salz, Pfeffer. Daraus kleine Bällchen formen und leicht flachdrücken. In leicht kochendem Salzwasser in 10 – 15 Minuten gar ziehen lassen. Dann nur noch wenige Minuten in der Pfanne knusprig braten.

Chili con carne
Party-Renner

Für 4 Hungrige:

3 Zwiebeln

3 – 4 Knoblauchzehen

1 kleine rote, 1 kleine grüne Paprikaschote

1 große Dose geschälte Tomaten (800 g)

4 EL Öl

500 g Rinderhackfleisch

1 – 2 TL Cayennepfeffer

Salz, Pfeffer aus der Mühle

1 Dose Kidneybohnen (400 g)

Sambal oelek nach Geschmack

1 Zwiebeln und Knoblauch schälen und fein hacken. Die Paprikaschoten waschen und halbieren, Trennwände rausschneiden, die Kerne rausspülen. Schotenhälften in möglichst kleine Würfel schneiden. Tomaten aus der Dose grob hacken.

2 Einen großen, am besten auch noch schweren Topf auf den Herd, das Öl reingießen und heiß werden lassen. Erst das Hackfleisch allein anbraten, damit es schön anbrutzelt und etwas braun wird. Dann erst Zwiebeln, Knoblauch untermischen und kurz mitbraten, danach Paprika und ganz zum Schluß die Tomaten mit Saft dazu.

3 Mit Cayennepfeffer, Salz und Pfeffer kräftig würzen. Einmal aufkochen lassen, dann Deckel zu und bei mittlerer Hitze 1 Stunde schmoren.

4 Bohnen aus der Dose in ein Sieb abgießen und kurz abbrausen. Mit in den Topf, 15 Minuten weiterschmurgeln. Danach unbedingt nochmal abschmecken und mit Sambal oelek nach eigenen Geschmack schön scharf machen.

So viel Zeit muß sein: Aktiv sein 45 Minuten, Relaxen 1 $^1/_4$ Stunden
Das schmeckt dazu: Brot
Kalorien pro Portion (4): 540

Saftgulasch vom Basic-Bacsi

Schmeckt nach Mama
Echt basic

„Bacsi“ heißt der Freund auf ungarisch. Und der Imre bacsi kochte mal auf einem Reiterhof an der österreich-ungarischen Grenze ein Gulasch, das in seinem Seidenglanz und Hochgeschmack einfach kaiserlich-königlich war. Viele Zwiebeln, große Stücke und langes Schmurgeln im eigenen Saft sind sein Geheimnis. Hier wird es in voller Länge verraten.

Für 4–6 Hungrige:

800 g Zwiebeln

3 Knoblauchzehen

1,2 kg Rindfleisch (am besten aus der Wade, sonst aus der Schulter)

4 EL Schweineschmalz oder Öl

5 EL Edelsüß-Paprikapulver

1 TL getrockneter Majoran

1 TL getrockneter Thymian

1 TL Kümmel

1 EL Essig

Salz, Pfeffer aus der Mühle

1 Erstmal werden die Zwiebeln und der Knoblauch geschält und gewürfelt. Rechts zeigen wir, wie der Profi das macht. Hacken geht aber zur Not auch.

2 Jetzt das Fleisch schneiden – und zwar nicht zu klein. Dabei „Flecksen“ wegschneiden. Fingerdicke, gut 4 cm lange Stücke sollten es schon sein. Mit diesen „Blättern“ (wie der Wiener sagt) hat das Gulasch ordentlich Zeit, Kraft zu entwickeln.

3 Nun in einem schweren Topf bei gut mittlerer Stufe das Fett erhitzen. Darin die Zwiebeln andünsten, bis sie schön glasig und fast braun sind – aber nur fast!

4 Paprika, die Erste: Zusammen mit Knoblauch, Majoran, Thymian und Kümmel werden 3 EL davon zu den Zwiebeln gegeben (der Wiener sagt „paprizieren“) und kurz angedünstet. Dann kommt der Essig mit 8–10 EL Wasser dazu.

5 Jetzt, und wirklich erst jetzt, das Fleisch dazugeben. Dabei am besten nicht rühren, damit es ein wenig Farbe nehmen kann. Aber richtig braten muß es nicht, soll es sogar nicht, damit es schön zart wird.

6 Nun salzen, pfeffern, rühren, Hitze runterschalten, Deckel drauf. Und schmurgeln lassen. Kein Wasser? Kein Wasser. Zwiebeln und Fleisch entwickeln genug Saft zum langen Schmurgeln. Nur wenn der fast eingekocht ist, können ein paar Schlucke dazukommen. Aber nur so viel, daß das Gulasch nicht kocht, sonst wird es trocken.

7 Und nach gut 1 1/2 Stunden oder auch ein wenig mehr ist das Fleisch fast gar. Dann wird's Zeit, den übrigen Paprika kurz mitzugaren und schließlich doch das Gulasch knapp mit Wasser zu bedecken. Nach etwa 15 Minuten Köcheln ist es perfekt, abgesehen vom letzten Abschmecken.

So viel Zeit muß sein: Aktiv sein 1 Stunde, Relaxen 1 1/2 Stunden
Das schmeckt dazu: Salzkartoffeln und Salat oder, ganz klassisch, Kaisersemmeln. Zum Trinken Bier oder Rotwein aus Österreich, z. B. ein Blauer Zweigelt
Kalorien pro Portion (6): 390

Basic Tip

Wenn's auch nicht original ungarisch ist, für Freunde scharfen Geschmacks kann das Gulasch natürlich auch kräftiger gewürzt werden, z. B. mit etwas Rosenpaprika oder Cayennepfeffer ganz zum Schluß. Auch Gemüse macht sich gut im Fleischpott - kleine Stückchen von Paprikaschoten oder geschälten Tomaten oder auch gehobeltes Weißkraut: Bevor der Deckel drauf kommt, einfach mit in den Topf geben und schmoren lassen.

Sherryhuhn

Die spanische Schwester vom Coq au vin

Für 2 – 3 Hungrige:

1 Brathühnchen, in 6 Teile zerlegt (2x Keulen, 2x Flügel, 2x Brust)

Salz, Pfeffer aus der Mühle

1 EL Edelsüß-Paprikapulver

2 Zwiebeln

1 kleine rote, 1 kleine gelbe oder grüne Paprikaschote

2 – 3 Knoblauchzehen

3 EL Öl

1/4 l trockener Sherry

1/8 l Hühnerbrühe

1 Die Hähnchenteile kurz abspülen, mit einem Küchentuch abtrocknen. Rundum salzen, pfeffern, mit Paprika einreiben.

2 Die Zwiebeln schälen, halbieren, in feine Scheibchen schneiden. Die Paprikaschoten waschen, halbieren. Trennwände rausschneiden, die Kerne wegspülen. Dann die Schotenhälften nochmal halbieren und in feine Streifen schneiden. Knoblauch schälen und fein hacken.

3 In einem breiten Topf mit passendem Deckel das Öl erhitzen. Die Hähnchenteile bei mittlerer Hitze ungefähr 10 Minuten von allen Seiten knusprig anbraten. Dann Zwiebeln, Paprikastreifen und Knoblauch untermischen, kurz anbraten.

4 Jetzt den Sherry und die Brühe in den Topf gießen und 10 – 12 Minuten bei nicht zu starker Hitze vor sich hin schmurgeln lassen. Deckel drauf, Herd aus und nochmal 10 Minuten ziehen lassen. Fertig! Mit Salz und viel frisch gemahlenem Pfeffer abschmecken.

So viel Zeit muß sein: 50 Minuten
Das schmeckt dazu: Brot oder Reis
Kalorien pro Portion (3): 770

Brathähnchen mit Zitronenfüllung

Herrlich zitronig

Für 2 – 3 Hungrige:

1 Brathähnchen (etwa 1,4 kg)

Salz, Pfeffer aus der Mühle

3 EL Olivenöl

1 große unbehandelte Zitrone

2 – 3 frische Thymianzweige (oder 1 Zweig frischer Rosmarin)

1 Das Hähnchen mit kaltem Wasser abspülen, mit einem Küchentuch abtrocknen. Erstmal nur innen salzen und pfeffern. Den Backofen auf 225 Grad (auch den Umluftherd schon jetzt: 200 Grad) vorheizen. Eine Auflaufform mit 1 EL Öl auspinseln.

2 Die Zitrone heiß waschen und abtrocknen. Mit einer Gabel von oben bis unten und rundum mehrmals einstechen (damit später der Saft rauskommen kann und das Hähnchen von innen frisch und würzig macht). Die Zitrone in die Bauchhöhle des Hähnchens stopfen, die Kräuterzweige mit reinlegen und die Beine über Kreuz legen und zusammenbinden. Hähnchen jetzt auch außen salzen und pfeffern, mit dem übrigen Olivenöl rundrum einreiben.

3 Das gefüllte Hähnchen in Seitenlage in die Form legen, in den Backofen schieben und auf der 2. Schiene von unten 20 Minuten braten. Dann auf die andere Seite drehen, nochmal 20 Minuten braten. Sobald sich Bratfett in der Form sammelt, immer mal wieder mit einem Löffel abschöpfen und über das Hähnchen gießen. Zum Schluß auch noch auf den Rücken drehen (Brust nach oben), 25 Minuten weiterbraten und weiterbegießen. Jetzt mit einem Spießchen in den Schenkel stechen – wenn noch rötlicher Saft ausläuft, unbedingt weiterbraten. Ist der Saft klar, raus damit und heiß auf den Tisch!

So viel Zeit muß sein: Aktiv sein 10 Minuten, Relaxen gut 1 Stunde (mit ein paar Unterbrechungen)
Das schmeckt dazu: Salat und Brot zum Tunken
Kalorien pro Portion (3): 370

Die 80-Grad-Entenbrust

Super basic

Für 2 Hungrige:

2 Entenbrüste (gut 400 g)

Salz, Pfeffer aus der Mühle

1 Den Backofen (Ober- und Unterhitze) auf 80 Grad einstellen, unbedingt mit einem Backofenthermometer kontrollieren.

2 Die Fettschicht der Entenbrüste gitterförmig einritzen (aber nicht ins Fleisch schneiden). Mit Salz und Pfeffer einreiben.

3 Eine ofenfeste Pfanne heiß werden lassen. Entenbrüste mit der Fettseite nach unten reinlegen und scharf anbraten. Dann wenden und auch die Fleischseite kurz und scharf anbraten.

4 Jetzt die Pfanne in den Backofen stellen – und 30–45 Minuten nix mehr tun. In der milden Hitze gart die Entenbrust völlig sanft und wird innen gleichmäßig zartrosa und saftig.

So viel Zeit muß sein: Aktiv sein 10 Minuten, Relaxen 30–45 Minuten
Das schmeckt dazu: Brot, Mango-Chutney (kann man fertig kaufen oder selber machen – siehe Seite 90)
Kalorien pro Portion: 450

Basic Tip

Entenbrust für Backofenlose

Salzen und pfeffern, Hautseite rautenförmig einschneiden. Eine Pfanne ohne Fett heiß werden lassen, Entenbrüste mit der Hautseite nach unten reinlegen und bei mittlerer Hitze 10 Minuten kroß braten. Umdrehen, nochmal knapp 10 Minuten auf der anderen Seite braten, dann in Alufolie wickeln und nachziehen lassen.

Schweinebraten

Möglichst am Vorabend marinieren

Für 6–8 Hungrige:

1,5 kg Schweinebraten ohne Knochen, aber mit Schwarte (500 g Knochen trotzdem mitgeben lassen – wichtig für die Sauce!)

1/2 TL Kümmel

3 Knoblauchzehen, 2 EL Öl

1 TL Edelsüß-Paprikapulver

Salz, Pfeffer aus der Mühle

2 Zwiebeln, 2 Möhren

1 Stück Knollensellerie (etwa 200 g)

1 Lorbeerblatt

1 Die Schwarte mit einem scharfen Messer rautenförmig einschneiden.

2 Den Kümmel etwas kleiner hacken, 1 Knoblauchzehe schälen und fein hacken. Beides mit Öl und Paprika verrühren. Den Braten rundum kräftig damit einreiben, in Folie wickeln und über Nacht kühl stellen.

3 Gut 3 Stunden vorm geplanten Essen den Backofen auf 250 Grad (auch Umluft schon jetzt: 220 Grad) vorheizen.

4 Den Schweinebraten aus der Folie wickeln, rundum salzen und pfeffern. Mit der Schwartenseite nach unten in einen großen Bräter legen. Auf der unteren Schiene in den heißen Backofen schieben und anbraten. Danach auch von allen anderen Seiten kurz und kräftig anbraten. Das Fleisch aus dem Bräter nehmen, die Knochen ins Bratfett geben und anrösten. Dann das Fleisch wieder dazugeben – mit der Schwarte nach oben.

5 Nun 30 Minuten braten lassen, ab und zu mit dem Bratfett begießen. Inzwischen Zwiebeln, Möhren und Sellerie schälen, klein würfeln. Den übrigen Knoblauch nur schälen.

6 Den Backofen auf 180 Grad (Umluft: 160) zurückdrehen, alles Gemüse und das Lorbeerblatt mit in den Bräter geben. Einen Schuß Wasser (oder auch helles Bier) übers Fleisch, und jetzt dauert's nochmal 1 1/2 Stunden, bis das Fleisch außen knusprig und innen zart ist. Ab und zu mit dem Bratsud begießen, falls nötig, auch Wasser oder Bier nachgießen.

7 Bräter auf den Herd stellen, den Braten rausholen und im ausgeschalteten Backofen nachziehen lassen, bis die Sauce fertig ist. Die Sauce durch ein Sieb in einen Topf gießen und eventuell etwas einköcheln lassen. Abschmecken, zum Braten servieren.

So viel Zeit muß sein: 15 Minuten am Vorabend, Aktiv sein am nächsten Tag 30 Minuten, Relaxen 3 Stunden (mit ein paar Unterbrechungen)
Das schmeckt dazu: Klöße
Kalorien pro Portion (8): 390

Schmorbraten in Rotwein

Molto italiano, molto buono

Für 4–6 Hungrige:

2 Knoblauchzehen

1 kg Rindfleisch zum Schmoren (z. B. aus Bug, Oberschale, Kugel – am besten den Metzger fragen!)

2 Stangen Sellerie

2 Möhren, 1 Zwiebel

3 EL Olivenöl, 2–3 EL Butter

Salz, Pfeffer aus der Mühle

3/8 l trockener Rotwein

2 Gewürznelken, 1 Lorbeerblatt

1 kleine Dose geschälte Tomaten (400 g)

1/4 l Fleischbrühe

frisch geriebene Muskatnuß

1 Die Knoblauchzehen schälen und in feine Stifte schneiden. Dann das Fleisch mit einem spitzen Messerchen rundum an einigen Stellen einritzen und den Knoblauch reinstecken.

2 Selleriestangen waschen, oben und unten wegschneiden, was nicht knackig und frisch aussieht. Möhren und Zwiebel schälen. Alles in kleine Würfelchen schneiden.

3 Einen großen Bräter auf den Herd stellen, das Olivenöl darin heiß werden lassen. Butter dazu, im heißen Öl schmelzen lassen. Fleisch im Bräter rundum anbraten.

4 Wenn das Fleisch rundum angebräunt ist, alles kleingeschnittene Gemüse dazu und im Bratfett anbraten. Salzen und pfeffern, den Rotwein angießen und einmal kräftig aufkochen. Gewürznelken und Lorbeerblatt in den Sud streuen.

5 Die Tomaten aus der Dose grob hacken, mit Saft im Bräter verteilen. Nun noch die Brühe dazu, mit Muskat würzen, den Deckel drauf – und für 3 Stunden Pause machen! Der Braten soll jetzt ganz in Ruhe gelassen werden und bei schwacher Hitze vor sich hin schmoren, aber nicht köcheln.

6 Vorm Essen den Braten aus dem Bräter nehmen, die Sauce durchsieben (nicht mit dem Nudelsieb, sondern mit einem feinen Haarsieb oder, ganz professionell, mit einem Spitzsieb). Wem die Sauce auch mit kleinen Gemüsestückchen gefällt und schmeckt, kann sich diesen Akt natürlich sparen. Die Sauce auf jeden Fall nochmal aufkochen, mit Salz und Pfeffer abschmecken.

So viel Zeit muß sein: Aktiv sein 30 Minuten, Relaxen 3 Stunden
Das schmeckt dazu: Polenta (einfach zubereiten, wie auf Packung angegeben), kräftiger Rotwein aus Italien
Kalorien pro Portion (6): 405

Lammkeule mit Kräuterkruste
Macht was her

Für 4–6 Hungrige:

1 unbehandelte Zitrone
1 kg Lammkeule (ohne Knochen)
1 kg Kartoffeln (festkochende Sorte)
600 g reife Tomaten
6 EL Olivenöl
Salz, Pfeffer aus der Mühle
3 EL Butterschmalz
1 großes Bund Petersilie
4 Knoblauchzehen
4 EL Semmelbrösel
50 g frisch geriebener Pecorino
(oder Parmesan)

1 Die Zitrone heiß waschen, abtrocknen und die Schale abreiben. Dann halbieren und den Saft auspressen. Die Lammkeule mit dem Zitronensaft einreiben.

2 Die Kartoffeln waschen, schälen und in dünne Scheiben schneiden. 1 l Wasser aufkochen, die Tomaten kurz reinlegen. Abgießen, Tomaten kalt abbrausen und die Haut mit einem spitzen Messer anstechen und abziehen – das geht nach dem Überbrühen superleicht. Tomaten grob zerteilen.

3 Einen großen Bräter mit 2 EL Olivenöl auspinseln. Die Kartoffelscheiben einschichten, salzen und pfeffern. 2 EL vom Schmalz in kleinen Flöckchen auf den Kartoffeln verteilen. Tomatenstücke darüber legen. Backofen schon mal auf 180 Grad (auch Umluft schon jetzt: 160 Grad) vorheizen.

4 Petersilie waschen, trockenschütteln und so fein wie möglich hacken. Knoblauch schälen, auch fein hacken. Beides mit den Semmelbröseln und der abgeriebenen Zitronenschale mischen. Etwas mehr als die Hälfte davon mit den restlichen 4 EL Olivenöl zu einer Paste verrühren. Den Rest mit dem geriebenen Käse mischen.

5 Die Lammkeule jetzt salzen und pfeffern. Rundum mit der Petersilien-Paste einstreichen. Aufs Kartoffel-Tomaten-Bett legen und für $1\,^1/_4$ Stunden in den Backofen schieben (Mitte).

6 Dann die Temperatur im Backofen auf 225 Grad (Umluft 200) erhöhen. Die Petersilien-Käse-Mischung über Lammkeule und Kartoffeln streuen, das restliche Schmalz in Flöckchen darauf verteilen. Nochmal 10–15 Minuten im Ofen lassen und knusprig überbacken.

So viel Zeit muß sein: Aktiv sein 45 Minuten, Relaxen, mit nur 2 Minuten Unterbrechung, $1\,^1/_2$ Stunden
Das schmeckt dazu: trockener Rotwein aus Italien
Kalorien pro Portion (6): 700

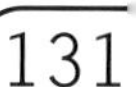

Gemüs

... ist (fast) alles, was wächst und nach der Ernte gegessen wird

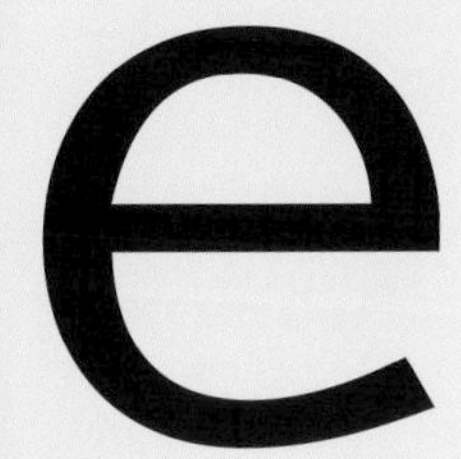

... ist (fast) alles, was wächst und nach der Ernte gegessen wird.

... kann die Wurzel, der Stiel, das Blatt, die Frucht oder sogar der Samen einer Pflanze sein.

... ist uralt und im Grunde was Wildes. In China und Ägypten hatte man vor Jahrtausenden zum ersten Mal die Idee, das zu kultivieren, was bis dahin nur gesammelt wurde. Bis in Europa die Gemüsekultur einzog, war das Mittelalter schon fast zu Ende.

... stammt fast nie aus Deutschland. Die Gurke wuchs in Indien auf, der Spinat im Kaukasus, und auch der bayerische Biergartenrettich ist ein Ausländer: China und Ägypten streiten sich drum, Heimat des „Radi" zu sein.
Und was ist mit Mitteleuropa?
Hat Kraut und Rüben hervorgebracht. Immerhin.

... schmeckt gebraten, gedünstet, gekocht, geschmort und gratiniert.

Beweis ab Seite 136

Was vom Putzen übrigbleibt

150–200 g Gemüse kommen als Beilage auf den Teller, als Hauptgericht das Doppelte, nach dem Putzen gewogen. Beim Einkaufen muß daher mehr auf die Waage:
Acht Beispiele dafür, was von 200 g Gemüse nach dem Putzen übrigbleibt.

Zuckerschoten
Enden weg, Fäden ziehen – bleiben 190 g

junger Blattspinat
festere Stiele ab, welke Blätter raus – bleiben 180 g

Spargel
Enden abschneiden, je nach Sorte schälen – bleiben 160 g

Paprikaschote
Stiele entfernen, Samen und Innenwände raus – bleiben 150 g

Frühlingszwiebeln
Wurzeln ab, dunkelgrüne und welke Außenblätter weg – bleiben 140 g

Kohlrabi
lange Stiele ab, schälen, holzige Stellen raus – bleiben 130 g

Broccoli
Strunk weg, dicke Stiele ab, gelbe Röschen raus – bleiben 120 g

Lauch
Wurzelenden ab, Außenblätter und dunkles Grün weg – bleiben 100 g

Ich will keine Maispoularde

Vielleicht sind Vegetarier ja doch die Sinnlicheren unter uns Essern. Sehen jedenfalls richtig gut aus, seit sie aus der Körnerecke herausgekommen sind. So gut, daß es schon schick ist, kein Fleisch zu essen. Aber immer nur Grünzeug, macht das nicht krank? Wenn es auf dem Teller so bunt zugeht wie im Gemüseladen, kann nicht viel passieren. Und das liebe Vieh bleibt auch am Leben.

Wer erstmal üben will, kann der Kuh ja noch die Milch wegnehmen, dann ist er Lacto-Vegetarier. Klaut er dem Huhn dazu das Ei, ist er Ovo-Lacto-Vegetarier. Grüne Gemüse, Hülsenfrüchte und Nüsse bringen aber auch das Wichtigste aus Ei und Milch. Manche Vegetarier wollen deswegen gar nichts vom Tier. Noch nicht mal den Honig von der Biene. Und am besten alles roh! Wilde Sache. Asiatische Ausgewogenheit finden wir besser: eine Gemüsemahlzeit am Tag, einen Gemüsetag in der Woche, eine Gemüsewoche im Monat, einen Gemüsemonat im Jahr.
Macht aus einem Leben sieben.

Schnell mal was Frisches

Dumme Gemüse! Warum wird denn jedes von euch anders gar? Sagt das Grünzeug, weil bei uns eben nicht alles gleich schmeckt. Damit im Gemüsetopf trotzdem der Biß stimmt: die Bestzeiten fürs Gemüsegaren.

1 Minute
Blattspinat dünsten

2 Minuten
Zucchini- und Champignonscheiben braten, Tomaten dünsten

3–4 Minuten
Lauchstreifen dünsten

5 Minuten
Paprikawürfel dünsten

8 Minuten
Broccoliröschen kochen

10–12 Minuten
Fenchelstreifen dünsten, grünen Spargel/Blumenkohl kochen

12–15 Minuten
Staudensellerie/Möhrenscheiben dünsten, grüne Bohnen kochen

15–20 Minuten
Rosenkohl dünsten, Kartoffeln/weißen Spargel kochen

20 Minuten
rote Linsen kochen

45 Minuten
braune Linsen kochen

Fit, schlau und gut drauf

Gemüse ist gesund, ja klar. Aber daß es auch gut fürs Hirn, die Seele und den Teint ist, ist weniger bekannt. Fünf Tips für ein Bißchen besseres Leben:

	Fit	Schön	Schlau	Gut drauf
Aubergine	reguliert Cholesterin	läßt die Haut gut aussehen	regt das Denken an	macht locker
Bohne	gibt Power; reinigt den Körper	stärkt Haare, Haut, Knochen	gibt gute Nerven und Zähne	macht aktiv
Möhre	liefert Energie; stärkt Sehkraft	macht Augen schön; gibt der Haut Farbe, Schutz und Regeneration	gibt dem Hirn Nahrung	macht stark
Paprika	stärkt die Abwehr	strafft die Haut; pflegt die Haare	konzentriert das Denken	macht glücklich; heilt Wunden
Sauerkraut	bringt Muskeln und Darm auf Trab	heilt Wunden; reinigt die Haut	läßt Gedanken flutschen	macht lustig

In

Spargel im Frühling, Paprika im Sommer, Kürbis im Herbst, Rotkraut im Winter
- Braten und Grillen
- Möhren statt Süßes naschen
- Bio-Gemüse
- Sahnegemüse
- Gemüsecurry
- Immer wieder: Gemüsemarktbummel

Out

Spargel im Winter usw.
- Immer nur kochen
- Gemüse mit Mehlschwitze
- Immer nur TK-Gemüse
- Intolerante Ökos
- Gemüse als Mus
- Nie und nimmer: Gemüse nur dann, wenn's durch die Sau geht

Schon gewußt?

Verwandte kann sich keiner aussuchen, selbst König Spargel nicht. Denn auch in der Botanik gibt's bunt gemischte Familien. Welche der folgenden Geschwister sind echte?

a Wirsing und Radieschen
b Broccoli und Rucola
c Kopfsalat und Artischocke
d Kartoffel und Süßkartoffel
e Spinat und Rote Bete
f Silberzwiebel und Spargel
g Mairübe und Mohrrübe
h Kartoffel und Tomate

Auflösung: alle außer d und g

Unser liebstes Gemüse

Die Tomate

engl. tomatoe; franz. tomate; ital. pomodoro

Das ist sie

- runde Salattomate mit normaler und (oft zu) fester Schale
- längliche Flaschen- oder Eiertomate für Saucen und Suppen
- Strauchtomate mit meist (!) mehr Aroma
- Kirschtomate mit noch mehr Aroma
- Fleischtomate mit null Aroma

Das hat sie

- 17 Kalorien je 100 g
- 4 g Kohlenhydrate (daher die Süße)
- kaum Eiweiß und Fett
- Carotin und Vitamin C

Das bringt sie

- macht fit gegen Alltagskrankheiten wie Erkältungen
- belebt bei Müdigkeit, entspannt bei Streß
- pflegt von innen Haut und Haare

Das will sie

- bei Zimmertemperatur lagern
- mit dem Sägemesser geschnitten werden
- kurz vor dem Servieren gewürzt oder mariniert werden
- sanft und kurz erhitzt werden

Das mag sie

- Olivenöl, aber auch Butter – macht sie noch gesünder (fettlösliche Vitamine!)
- schwarzen Pfeffer, Curry, Wacholder; Basilikum, Oregano, Estragon, Koriandergrün; Knoblauch
- eine Prise Zucker

Große Gemüseplatte mit Aioli

Nix für Knoblauch-Muffel

Für 6 – 8 Hungrige bei Sonnenschein:

Für die Aioli (hausgemachte Knoblauch-Mayo aus Südfrankreich):

1 Stück Weißbrot ohne Rinde (ungefähr so groß wie eine mittelgroße Kartoffel)
60 ml Milch
4 mittelgroße Knoblauchzehen (oder mehr oder weniger)
1 superfrisches Eigelb
175 ml Olivenöl
Zitronensaft
Salz, Pfeffer aus der Mühle

Für die Gemüseplatte:

500 g Kartoffeln (festkochende Sorte)
Salz
3 – 4 Eier
500 g grüne Bohnen
2 kleine Fenchelknollen
4 mittelgroße Möhren
1/2 kleiner Blumenkohl (oder Broccoli)
2 – 3 EL Olivenöl
1 Bund Stangensellerie
1 – 2 Paprikaschoten (rot, grün oder gelb)
1 Bund Frühlingszwiebeln

1 Für die Aioli das Weißbrot erstmal kurz in der Milch einweichen. Dann gut ausdrücken, in eine Schüssel geben. Knoblauch schälen, durch die Presse dazudrücken. Eigelb auch dazu, alles zu einer glatten Masse verrühren. Nun das Öl nicht auf einmal, sondern in einem dünnen Strahl einfließen lassen, dabei immer kräftig mit den Quirlen vom Handrührer rühren. Mit Zitronensaft, Salz und Pfeffer abschmecken.

2 Kartoffeln waschen, fast mit Salzwasser bedeckt gar kochen (das dauert je nach Größe 25 – 35 Minuten). Die Eier mit kaltem Wasser aufsetzen, nach dem Aufkochen noch 7 – 8 Minuten köcheln lassen. Kalt abschrecken.

3 Grüne Bohnen waschen, die Enden abschneiden, Fäden mit abziehen, falls welche da sind. In einem Topf 2 l Salzwasser aufkochen, Bohnen darin in 8 – 10 Minuten knackig kochen. Dann gleich abgießen und kurz kalt abbrausen.

4 Fenchelknollen waschen, dicke Stiele abschneiden. Knollen vierteln oder achteln. Möhren schälen, längs vierteln oder halbieren. Den Blumenkohl in kleine Röschen zerlegen, dicke Stiele abschneiden.

5 In einer großen beschichteten Pfanne das Olivenöl erhitzen, Fenchel, Möhren und Blumenkohl darin bei mittlerer Hitze 10 – 15 Minuten braten, dabei Deckel auflegen und öfter mal wenden (oder alles Gemüse in wenig Brühe dünsten).

6 Selleriestangen waschen, oben und unten abschneiden, was welk aussieht. Paprikaschoten waschen, halbieren, Trennwände rausschneiden, die Kerne wegspülen. Schotenhälften in breite Streifen schneiden. Frühlingszwiebeln waschen, vom Grün nur das abschneiden, was welk ist, Wurzelbüschel vorne wegschneiden. Die Zwiebeln einfach ganz lassen, nicht kleiner schneiden.

7 Pellkartoffeln abgießen, schälen. Die Eier aufklopfen, schälen und längs halbieren. Mit dem Gemüse zusammen dekorativ auf Platten verteilen. Aioli in kleine Schälchen füllen und auf dem Tisch so verteilen, daß jeder zum Dippen von Gemüse, Kartoffeln und Eiern hinlangen kann – denn dafür ist die Aioli da!

So viel Zeit muß sein: 1 1/4 Stunden
Das schmeckt dazu: knuspriges Baguette, frischer leichter Weißwein oder Rosé
Kalorien pro Portion (8): 510

Tip für die große Party:

Alles vorkochen (außer Kartoffeln), dann nur noch kurz andünsten, am besten mit wenig heißem Fond oder Brühe; auf ein Blech legen, mit Alufolie bedecken und im Ofen warm machen.

Artischocken mit Senf-Vinaigrette

Super easy, macht aber Eindruck

Für 4 Verspielte als Vorspeise:

4 große Artischocken

Salz

1 – 2 EL scharfer Senf

4 – 5 EL Weißweinessig oder Zitronensaft

7 – 8 EL Olivenöl oder Sonnenblumenöl

2 Zweige Dill oder 1 Bund Schnittlauch

Pfeffer aus der Mühle

1 Die Artischocken waschen, die Stiele ganz dicht an den Stauden abtrennen. Das obere Drittel der Blattspitzen mit einer Küchenschere oder mit einem (wirklich) scharfen Messer abschneiden.

2 Artischocken in einem Topf nebeneinander stellen, so viel Wasser angießen, daß sie zur Hälfte drin stehen, salzen. Zugedeckt zum Kochen bringen, dann bei mittlerer Hitze je nach Größe 30 – 40 Minuten köcheln. Zwischendurch zum Probieren eines der äußeren Blätter abzupfen – sobald das ganz leicht geht, sind die Artischocken gar.

3 Während die Artischocken kochen, die Vinaigrette zum Dippen anrühren. Dafür den Senf (am besten schmeckt's mit Dijonsenf) mit Weißweinessig oder Zitronensaft verquirlen, das Öl unterschlagen. Mit Salz und Pfeffer abschmecken. Dill oder Schnittlauch waschen, trockenschütteln, ganz fein aufschneiden und in die Marinade rühren.

4 Die Artischocken aus dem Topf nehmen, umgedreht abtropfen lassen, auf Teller legen. Die Vinaigrette in vier kleine Schälchen verteilen. Zum Essen jedes Blatt einzeln aus der Artischocke zupfen, das fleischige Ende in den Dip tauchen und durch die Zähne ziehen. Wenn alle äußeren Blätter abgenagt sind, taucht ein ungenießbarer Teil auf – das Heu. Einfach abschaben und den darunter liegenden Artischockenboden freilegen – der schmeckt nämlich am besten, und für diesen Leckerbissen muß man unbedingt auch noch einen Rest Dip übrig haben.

So viel Zeit muß sein: 45 Minuten
Das schmeckt dazu: frisches Baguette
Kalorien pro Portion: 185

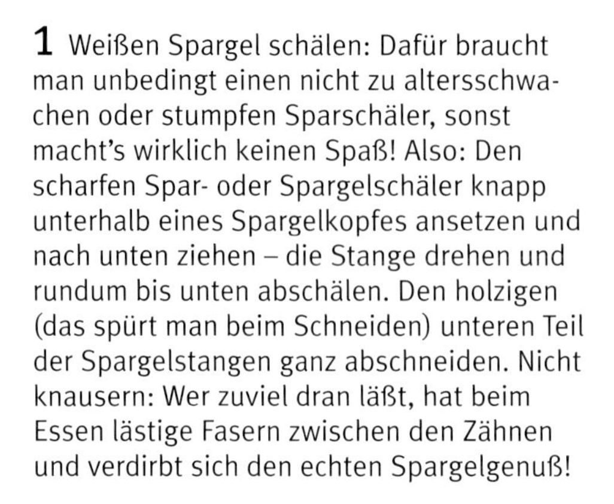

Spargel, weiß und grün
Im Mai ein must!

Für 4 – 6 Hungrige:

1 kg weißer Spargel

1 kg grüner Spargel

Salz, 1 Prise Zucker

1 EL Butter + 100 g Butter zum Zerlassen

1 kg kleine Kartoffeln (festkochende Sorte)

4 EL Aceto balsamico

Pfeffer aus der Mühle

6 EL Olivenöl

1 EL Kapern

Basilikumblättchen

abgeriebene Zitronenschale

1 Weißen Spargel schälen: Dafür braucht man unbedingt einen nicht zu altersschwachen oder stumpfen Sparschäler, sonst macht's wirklich keinen Spaß! Also: Den scharfen Spar- oder Spargelschäler knapp unterhalb eines Spargelkopfes ansetzen und nach unten ziehen – die Stange drehen und rundum bis unten abschälen. Den holzigen (das spürt man beim Schneiden) unteren Teil der Spargelstangen ganz abschneiden. Nicht knausern: Wer zuviel dran läßt, hat beim Essen lästige Fasern zwischen den Zähnen und verdirbt sich den echten Spargelgenuß!

2 Weißen Spargel kochen: Stangen in einen breiten Topf legen, mit Wasser bedecken, salzen, 1 Prise Zucker und 1 EL Butter dazugeben. Zugedeckt zum Kochen bringen, bei mittlerer Hitze 15 – 20 Minuten garen.

3 Grünen Spargel schälen: Stangen waschen, nur im unteren Drittel schälen und die Endstücke abschneiden.

4 Grünen Spargel kochen: Die Stangen in einen breiten Topf legen, mit Wasser bedecken, salzen, aufkochen. Dann bei mittlerer Hitze zugedeckt 8 – 10 Minuten garen.

5 Die Kartoffeln waschen, knapp mit Salzwasser bedeckt weich kochen. Die 100 g Butter zerlassen, heiß und flüssig halten.

6 Den grünen Spargel abtropfen lassen, auf eine Platte legen. Marinade anrühren aus Aceto balsamico, Salz, Pfeffer, Olivenöl. Die warmen Spargelstangen damit begießen, mit Kapern, Basilikumblättchen und abgeriebener Zitronenschale bestreuen.

7 Den weißen Spargel abtropfen lassen, auf eine vorgewärmte Platte legen. Mit Pellkartoffeln und heißer Butter servieren.

So viel Zeit muß sein: 1 1/2 Stunden
Das schmeckt dazu: trockener Weißwein, z. B. Riesling oder Grauburgunder aus Deutschland
Kalorien pro Portion (6): 345

Basic Tips

Klassische Beilage zum weißen Spargel: gekochte und rohe Schinkenscheiben, Lachs oder Kalbssteak. Toll schmeckt's auch mit dünnen Pfannkuchen und Hollandaise (Rezepte Seite 52 und 98).

Grünen Spargel kann man auch super in der Pfanne braten statt zu kochen. In kleine Stücke schneiden, in wenig Olivenöl oder Butter braten, salzen und frisch aus der Mühle pfeffern. Dann mit wenig Zitronensaft beträufeln, mit Kräutern oder mit frisch gehobeltem Parmesan bestreuen.

Gemüse-Wok
Event-Cooking für jede Stimmungslage

Für 4 Hungrige:

10 g getrocknete Mu-Err-Pilze

1 große Stange Lauch

2 große Möhren

1 große rote Paprikaschote

200 g Bambussprossen (aus Dose oder Glas)

2–4 Knoblauchzehen

1 Stück frische Ingwerknolle (daumengroß)

1–3 getrocknete Chilischoten

4–5 EL Sojasauce

2 EL Reiswein

3–4 EL Sonnenblumenöl

150 g frische Sojabohnenkeimlinge

(oder eingelegte aus dem Glas)

Salz, Pfeffer aus der Mühle

1 Das Wichtigste beim Wokken, außer dem Wok an sich: ein richtig großes Brett und ein wirklich scharfes Messer. Sonst macht das ganze Geschnipsel keinen Spaß – und Schnipseln ist hier das A & O. Außerdem praktisch: gleich mal ein paar Schalen, Schüsselchen, Teller rausholen, in die man die vorbereiteten Gemüse und Zutaten verteilen kann.

2 Vorher aber noch schnell die getrockneten Pilze einweichen: In ein Schüsselchen legen und mit kochendem Wasser übergießen.

3 Los geht's: Den Lauch putzen, also das Wurzelende unten knapp abschneiden und oben vom Grün alles wegschneiden, was welk und schlapp aussieht. Dann die Stange längs aufschlitzen und unter fließendem Wasser gut waschen, auch innen zwischen den Blättern. Den Lauch in sehr feine Scheibchen schneiden.

4 Die Möhren schälen, längs in dünne lange Scheiben schneiden, dann in Streichholzstifte. Die Paprikaschote waschen, längs halbieren, die weißen Trennwände wegschneiden, die Kerne rausspülen. Schotenhälften in feine Streifen oder kleine Stückchen auf-

schneiden. Die Bambussprossen abtropfen lassen, in feine Streifen schneiden. Alles Gemüse auf die Schalen, Schüsselchen oder Teller verteilen, jede Sorte für sich.

5 Die eingeweichten Pilze müßten inzwischen weich geworden sein: Die Pilze aus dem braunen Sud holen, den Sud durch eine Kaffeefiltertüte laufen lassen und für später aufheben. Die Pilze nochmal kurz abbrausen, abtropfen lassen, Stiele weg, Pilze kleinschneiden.

6 Knoblauch und Ingwer schälen, fein hacken. Chilischoten im Mörser zerquetschen. Jetzt noch die Sojasauce mit dem Reiswein verrühren, den Wok auf die heiße Herdplatte und alle Zutaten in Reichweite stellen.

7 Öl in den heißen Wok gießen, heiß werden lassen. Knoblauch, Ingwer und Chiliflocken rein, einige Sekunden rühren und braten. Dann eine Handvoll Lauch dazu, rühren, braten. Den Rest vom Lauch in die Pfanne, weiterrühren. Was schon angebraten ist, wird erst mal an den breiten Rand der Wokpfanne geschoben und macht Platz fürs neue rohe Gemüse. Jetzt eine Portion Möhrenstifte in den Wok, braten und weiterrühren. Dann restliche Möhren, Pilze, Paprika, Bambussprossen – die Reihenfolge bestimmt der Koch. Normalerweise fängt er mit den kräftigeren Gemüsesorten an und brät die zarten zum Schluß nur ganz kurz mit – aber im Prinzip ist auch das eine Geschmackssache. Da alles sowieso sehr fein geschnitten ist, braucht's auch kaum länger als 5 Minuten für den ganzen Rühr- und Brat-Akt.

8 Alles mit der Sojasauce-Reiswein-Mischung begießen, ein paar Löffelchen Pilzsud dazu und eventuell einen Schuß Wasser. Salzen und pfeffern, noch 1 Minute schmoren lassen. Ganz zum Schluß Keimlinge dazu und nur heiß werden lassen. Gemüse probieren und raus aus der Pfanne, bevor's zu weich wird. Teller und Gabeln verstecken, Schälchen und Stäbchen auf den Tisch!

So viel Zeit muß sein: 45 Minuten
Das schmeckt dazu: Reis
Kalorien pro Portion: 180

Pilzpfanne mit Currykartoffeln

Die richtige Paste macht den Meister!

Für 4 Hungrige:

750 g kleine Kartoffeln (festkochende Sorte)

Salz

500 g frische Austernpilze (oder auch frische Champignons)

2 – 3 Knoblauchzehen

Pfeffer aus der Mühle

4 EL Olivenöl

2 EL Zitronensaft

3 Stangen Sellerie

1 Bund Frühlingszwiebeln

ein paar milde rote Pfefferschoten, frisch oder eingelegt

1 Bund Petersilie

1 EL Currypaste (fertig gekaufte – gibt's in vielen Varianten, und wer seinen Favoriten mal entdeckt hat, schwört drauf!)

1 Die Kartoffeln waschen und abbürsten, in einen Topf legen und knapp mit Wasser bedecken. Salzen, zugedeckt zum Kochen bringen. Dann Hitze etwas runterdrehen, Kartoffeln in 15 – 20 Minuten weich kochen.

2 Während die Kartoffeln köcheln, in aller Ruhe die Pilze putzen – besser abreiben als waschen, sonst saugen sie sich schnell mit Wasser voll. Die dicken harten Stiele abschneiden. Pilzhüte etwas kleiner schneiden. Knoblauch schälen und fein hacken. Pilze in einer Schüssel mit Knoblauch, Salz, Pfeffer, 2 EL Olivenöl und Zitronensaft marinieren.

3 Die Selleriestangen waschen, oben und unten abschneiden, was nicht mehr knackig und frisch aussieht. Stangen in sehr feine Scheibchen schneiden. Die Frühlingszwiebeln auch putzen und waschen: Wurzelbüschel weg, welke Blätter weg. Dann schräg in sehr feine Ringe schneiden. Frische Pfefferschoten nur waschen, eingelegte abtropfen lassen, große kleiner schneiden.

4 Wenn die Kartoffeln weich sind, abgießen, kurz ausdampfen lassen und noch heiß pellen. Petersilie waschen und trockenschütteln, grob hacken.

5 Eine große Pfanne oder den Wok heiß werden lassen, restliches Öl rein und kurz warten, bis es heiß genug ist. Sellerie und Frühlingszwiebeln reingeben, unter Rühren 1 Minute anbraten. Etwas auf die Seite schieben, dann portionsweise die Pilze mit der Marinade in die Pfanne geben, rühren und rundum gut anbraten. Pfefferschoten einstreuen.

6 Kartoffeln halbieren oder vierteln, gut untermischen. Currypaste einrühren, alles zusammen noch 1 – 2 Minuten braten. Mit Salz und Pfeffer abschmecken, mit Petersilie bestreuen.

So viel Zeit muß sein: 50 Minuten
Kalorien pro Portion: 240

Frühlingsgemüse

Gute-Laune-Gemüse für Gute-Laune-Wetter

Für 4 Frühlingshungrige:

300 g Broccoli, 3 Stangen Sellerie

250 g grüner Spargel

250 g Zuckerschoten

1 Bund Frühlingszwiebeln

500 g kleine Tomaten, Salz

Saft von 1 Zitrone, 2 EL Butter

Pfeffer aus der Mühle

frisch geriebene Muskatnuß

2 EL Aceto balsamico

Blättchen von 1 Bund Basilikum

2 EL frisch geriebener Parmesan

1 Alles Gemüse waschen. Vom Broccoli die kleinen Röschen abschneiden. Die halbwegs zarten Stiele schälen und in Scheibchen schneiden, verholzte Teile wegschneiden.

2 Vom Sellerie wegschneiden, was nicht mehr frisch aussieht, Stangen in Stücke schneiden. Vom Spargel die holzigen Enden wegschneiden, wie den Sellerie kleinschneiden.

3 Von den Zuckerschoten die Enden abschneiden und gleichzeitig den Faden dazwischen abziehen. Wurzelbüschel und welke grüne Teile von den Frühlingszwiebeln abschneiden. Zwiebelköpfe mit 2 – 3 cm Grün abschneiden, alles restliche Zwiebelgrün in feine Ringe schneiden.

4 Tomaten kurz in kochendes Wasser legen, häuten und achteln.

5 In einem großen Topf 2 – 3 Liter Salzwasser aufkochen, den Zitronensaft dazugießen. Erst die Spargelstücke in den Topf werfen, dann jeweils 1 Minute später die Selleriestücke, dann die Broccoliröschen und zuletzt die Zuckerschoten. Alles zusammen nochmal 2 Minuten heftig kochen lassen. Das Gemüse ins Sieb abgießen, die Brühe dabei in einer Schüssel auffangen. Gemüse kalt abbrausen und gut abtropfen lassen.

6 Eine große Pfanne auf den Herd, Butter darin schmelzen lassen, weiße Frühlingszwiebelchen und Broccolistiele darin 2 – 3 Minuten dünsten. Dann das abgetropfte Gemüse dazu, einige Löffel Brühe angießen, Tomatenstücke unterrühren.

7 Noch etwa 10 Minuten bei mittlerer Hitze weiterdünsten, mit Salz, Pfeffer, frisch geriebener Muskatnuß und Aceto balsamico würzen. Grüne Zwiebelringe, Basilikumblättchen und Parmesan aufstreuen.

So viel Zeit muß sein: 50 Minuten
Kalorien pro Portion: 155

Ratatouille

Sommer, Sonne, Ratatouille ...

Für 4 Sonnenhungrige:

1 kg reife Tomaten

2 Auberginen (500 g), 500 g Zucchini

1 rote, 1 grüne, 1 gelbe Paprikaschote

2 frische oder eingelegte Chilischoten

250 g Zwiebeln, 3 – 4 Knoblauchzehen

100 ml Olivenöl, 1 Zweig Rosmarin

Salz, Pfeffer aus der Mühle

1 Tomaten kurz in kochendes Wasser legen. Kalt abbrausen, die Schale anstechen und abziehen. Tomaten halbieren, die Kerne herausschaben. Tomaten grob hacken.

2 Auberginen waschen, in 1 cm dicke Scheiben, dann in Würfel schneiden. In ein Sieb legen, salzen und ziehen lassen. Zucchini waschen, kleine Zucchini in Scheiben schneiden, bei größeren die Scheiben nochmal halbieren. Paprikaschoten waschen, halbieren, putzen, in Stücke schneiden.

3 Chilischoten aufschlitzen, Stiele und Kerne entfernen, Schoten kleinschneiden. Zwiebeln schälen, halbieren, in Scheibchen schneiden. Knoblauch schälen und hacken. Auberginenwürfel im Sieb abspülen und mit einem Küchentuch abtrocknen.

4 Im großen Topf 3–4 EL Öl heiß werden lassen. Zwiebeln und Knoblauch bei mittlerer Hitze glasig dünsten. Dann nacheinander in kleinen Portionen die Gemüsesorten reingeben und anbraten: zuerst die Paprikastücke, dann Auberginen, Zucchini, Chilischoten. Dazwischen immer Öl nachgießen.

5 Alles kräftig salzen und pfeffern, zum Schluß die gehackten Tomaten rein. Rosmarin dazu, Deckel drauf, 45 Minuten bei mittlerer Hitze schmoren lassen. Vorm Essen nochmal mit Salz und Pfeffer abschmecken.

So viel Zeit muß sein: 1 $^1/_2$ Stunden
Das schmeckt dazu: knuspriges Baguette
Kalorien pro Portion: 250

Sellerie-schnitzel

Auch ohne Schinken lecker

Für 4 Hungrige im Herbst:

1 große Sellerieknolle (800 g)

Saft von 1 Zitrone

4 Scheiben gekochter Schinken

4 Scheiben mittelalter Gouda

Salz, Pfeffer aus der Mühle

2 EL Mehl, 1 Ei

8 EL Semmelbrösel

2–3 EL Butterschmalz

1 Die Sellerieknolle schälen und waschen. In 8 gleich dicke Scheiben schneiden (Endstücke kleinschneiden).

2 1 l Wasser in einem Topf aufkochen, Zitronensaft ins Wasser gießen. Selleriescheiben darin 5 Minuten kräftig köcheln lassen, kalt abschrecken, abtropfen lassen, mit Küchenpapier trocknen.

3 Die Hälfte der Selleriescheiben mit je 1 Scheibe Schinken und Käse belegen (wenn die Scheiben zu groß sind, einfach zusammenklappen). Die übrigen 4 Selleriescheiben draufsetzen. Salzen und pfeffern, leicht mit Mehl bestäuben. Das Ei in einem tiefen Teller verquirlen, die Brösel in einen zweiten Teller streuen. Sellerieschnitzel durchs Ei ziehen, dann in den Bröseln wenden und die Panade leicht andrücken.

4 Das Butterschmalz in einer großen Pfanne erhitzen, die panierten Sellerieschnitzel bei mittlerer Hitze von beiden Seiten in jeweils 5 Minuten knusprig braten. Die kleingeschnittenen Selleriereste einfach mitbraten.

So viel Zeit muß sein: 45 Minuten
Das schmeckt dazu: Salat, Tomatensauce, Senf-Joghurt-Sauce mit Kapern, Currysauce ...
Kalorien pro Portion: 400

Wirsing-Rouladen

Krautwickel all' italiana

Für 4 Wintermüde:

8 schöne Wirsingblätter, Salz

2 Zwiebeln, 1 Knoblauchzehe

3 EL Olivenöl

400 g Schweinemett

50 g frisch geriebener Parmesan

4 eingelegte Sardellenfilets

10 schwarze oder grüne Oliven ohne Stein

Pfeffer aus der Mühle

1 große Dose geschälte Tomaten (800 g)

2 EL Tomatenmark

2 EL Aceto balsamico

1 Die Wirsingblätter in 1 l Salzwasser ungefähr 8 Minuten sprudelnd kochen. Vorsichtig abgießen (damit sie nicht einreißen), kalt abbrausen und abtropfen lassen.

2 Zwiebeln und Knoblauch schälen, fein hacken. 1 EL Öl in einer Pfanne heiß werden lassen, Zwiebeln und Knoblauch bei mittlerer Hitze andünsten. Abkühlen lassen. Mit dem Mett und dem Parmesan mischen.

3 Sardellen und Oliven fein hacken, gut unterkneten, restliches Öl dazu, pfeffern und nur leicht salzen. Tomaten mit Saft in einen Topf schütten, kleinschneiden und erhitzen, Tomatenmark einrühren. Offen einköcheln lassen, mit Salz, Pfeffer und Aceto balsamico abschmecken.

4 Die Wirsingblätter flach hinlegen. Die Füllung in 8 längliche Portionen teilen, auf die Blätter legen, seitliche Ränder einschlagen, aufrollen. In die Tomatensauce setzen, zugedeckt 30 Minuten bei schwacher Hitze schmoren.

So viel Zeit muß sein: 1 Stunde
Das schmeckt dazu: knuspriges Weißbrot
Kalorien pro Portion: 450

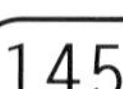

Glacierte Möhren
Einfach fein

Für 4 als Beilage:

600 g Möhren, Salz

50 g Butter, 1 TL Zucker

2–3 Stengel Petersilie oder einige Blätter

Basilikum oder Minze oder Schnittlauch

1 Die Möhren schälen, das Grün abschneiden. Möhren längs halbieren oder vierteln, wenn sie sehr dick sind. Dann nochmal quer in etwa 3 cm lange Stücke schneiden.

2 In eine Pfanne legen, knapp mit Wasser bedecken und leicht salzen. 5–10 Minuten bei mittlerer Hitze köcheln. Die Möhren sollen auf jeden Fall noch bißfest sein. Jetzt die Flüssigkeit aus der Pfanne vorsichtig abgießen bis auf einen kleinen Rest von 1–2 EL.

3 Die Butter in Stückchen unter die Möhren mischen, Zucker drüberstreuen. Bei schwacher Hitze noch 5 Minuten dünsten und die Möhren dabei oft wenden, damit sie eine schöne Glasur bekommen. Mit frisch gehackten Kräutern bestreuen.

So viel Zeit muß sein: 25 Minuten
Das schmeckt dazu: Fleisch, Geflügel, Fisch
Kalorien pro Portion: 130

Sahne-Kohlrabi
Schön altmodisch

Für 4 als Beilage:

2 Kohlrabi (600 g)

2 EL Butter

1 EL Mehl

3/8 l Gemüsebrühe

150 g Sahne

Salz, Pfeffer aus der Mühle

frisch geriebene Muskatnuß

1 Die Kohlrabiblätter mit den Stielen von der Knolle abschneiden, die zarten Blätter waschen und in feine Streifen schneiden. Knollen rundum schälen, in 1 cm dicke Scheiben und dann in Stifte schneiden.

2 In einem breiten Topf die Butter schmelzen, das Mehl unterrühren und bei mittlerer Hitze nur hellgelb werden lassen, nicht zu dunkel anrösten. Brühe und Sahne angießen, alles kräftig verrühren, salzen und pfeffern. Kohlrabistifte dazu, 15 Minuten bei schwacher Hitze zugedeckt köcheln lassen, bis der Kohlrabi gar und die Sauce schön sämig ist. Mit Salz, Pfeffer und Muskat abschmecken, die fein geschnittenen Blätter aufstreuen.

So viel Zeit muß sein: 30 Minuten
Das schmeckt dazu: Kartoffelpüree
Kalorien pro Portion: 130

Gebratene Zucchini
Mediterrane Anfänger-Übung

Für 4 als Beilage oder Vorspeise:

500 g Zucchini

2 Knoblauchzehen

3 EL Olivenöl

Salz, Pfeffer aus der Mühle

1 EL Zitronensaft

1 EL Aceto balsamico

1 Zucchini waschen, in Scheiben schneiden, größere nochmal halbieren oder alle Scheiben in Stifte schneiden.

2 Knoblauch schälen und fein hacken. Das Olivenöl in einer Pfanne heiß werden lassen. Zucchini reingeben, anbraten. Dann Knoblauch dazu, Zucchini wenden, 5 Minuten weiterbraten. Mit Salz und Pfeffer, Zitronensaft und Aceto balsamico abschmecken.

So viel Zeit muß sein: 20 Minuten
Das schmeckt dazu: Gegrilltes, Lamm
Kalorien pro Portion: 70

Tip:
Lecker auch mit 1 TL Pesto, fertig aus dem Glas und einfach zum Schluß untergemischt.

Sesam-Spinat
Verwandlung eines Kindertraumas

Für 4 als Beilage:

1 kg Blattspinat, 3 EL Sesamsamen

3 EL Olivenöl

Salz, Pfeffer aus der Mühle

2 EL Zitronensaft

1 Den Spinat ins Spülbecken werfen und viel Wasser einlaufen lassen. Dicke Wurzeln abknipsen, die Blätter richtig gut waschen, ins Sieb geben. Nochmal frisches Wasser einlaufen lassen, Spinat nochmal waschen.

2 Einen richtig großen Topf auf die heiße Herdplatte stellen, Spinat tropfnaß reinwerfen, Deckel zu. Nach wenigen Minuten sind die Blätter zusammengefallen, und jetzt weiß man auch, warum man Berge davon heimgeschleppt hat: Es bleibt nicht allzuviel übrig.

3 Spinat etwas abkühlen lassen, ausdrücken, grob hacken. Den Topf wieder auf die heiße Herdplatte stellen. Sesamsamen darin kurz anrösten, dann das Öl angießen. Spinat wieder gut unterrühren, dann mit Salz, Pfeffer, Zitronensaft abschmecken.

So viel Zeit muß sein: 35 Minuten
Das schmeckt dazu: Fleisch, Geflügel
Kalorien pro Portion: 105

Linsen mit Schalotten
Mal nicht aus der Dose

Für 4 als Beilage oder Vorspeise:

200 g Linsen, 1 Lorbeerblatt

4–5 Schalotten (oder kleine Zwiebeln)

5 EL Olivenöl, $^1/_8$ l Weißwein

3 EL Weißweinessig, 1 TL scharfer Senf

Salz, Pfeffer aus der Mühle

1 Prise Zucker, 2 EL Schnittlauchröllchen

1 Linsen mit Lorbeer in einem Topf mit kaltem Wasser bedecken und zugedeckt bei mittlerer Hitze weich kochen (dauert je nach Alter und Sorte zwischen 40 und 60 Minuten).

2 Schalotten schälen, in feine Scheiben schneiden. In 2 EL Öl bei schwacher Hitze glasig dünsten. Wein angießen, zur Hälfte einköcheln lassen. Vom Herd nehmen.

3 Die gekochten, aber noch bißfesten Linsen abtropfen lassen. Warme Linsen mit Schalotten gut mischen. Essig mit restlichem Öl und Senf verrühren, untermischen. Mit Salz, Pfeffer, Zucker kräftig abschmecken. Schnittlauch aufstreuen.

So viel Zeit muß sein: 15 Minuten plus Kochen
Das schmeckt dazu: Entenbrust, Geflügel
Kalorien pro Portion: 260

Zuckerschoten mit Zitronenbutter
Schnell & gut

Für 4 als Beilage:

500 g Zuckerschoten

2 EL Butter

abgeriebene Schale von 1 unbehandelten Zitrone und 1–2 EL Saft

Salz, Pfeffer aus der Mühle

1 Prise Zucker

1 Die Zuckerschoten waschen, abtropfen lassen, die spitzen Enden knapp abschneiden und dabei den Faden abziehen, falls einer dran ist.

2 In einer Pfanne die Butter zerlassen, die Hälfte der Zitronenschale einrühren. Die Zuckerschoten reingeben, in der Zitronenbutter schwenken und wenden, 8–10 Minuten dünsten, sie sollen noch schön knackig zu beißen sein. Mit Salz, Pfeffer, Zitronensaft und 1 Prise Zucker abschmecken. Mit der übrigen Zitronenschale bestreuen.

So viel Zeit muß sein: 20 Minuten
Das schmeckt dazu: Fisch, Kalbfleisch
Kalorien pro Portion: 100

Süßes

Sind Sie ein echtes Zuckerstückchen oder nicht?

Sind Sie ein echtes Zuckerstückchen oder nicht?
Machen Sie den Test!

1. Sie werden von einem ziemlich netten Menschen zum Essen ausgeführt. Was trinken Sie?
a frischgepreßten Orangensaft
b warme Bananenmilch
c immer nur das Beste

2. Der nette Mensch bekocht Sie zum ersten Mal. Als er den Nachtisch holt, fällt Ihnen ein, daß Sie noch verabredet sind. Was tun Sie?
a bleiben, natürlich
b gehen, was sonst
c kommt auf den Nachtisch an

3. Erstes Frühstück beim netten Menschen. Was macht Sie jetzt glücklich?
a frische Croissants mit hausgemachter Zitronenmarmelade
b Müsli mit Joghurt und Früchten
c Nutella löffelweise

Auflösung Seite 151

Fünf süße Fünf-Minuten-Saucen

fixe Fruchtsauce
Dosenfrüchte wie Pfirsiche, Aprikosen oder Ananas mit ein bißchen Saft pürieren und mit Zitronensaft und/oder Likör abschmecken (geht auch mit frischen Beeren und Puderzucker). Schmeckt zu allem, zu dem Früchte passen.

fixe Kirschsauce
1 1 großes Glas Kirschen in ein Sieb gießen und den Saft auffangen.
2 4 EL Saft mit je 2 EL Vanillepuddingpulver und Zucker verrühren, übrigen Saft aufkochen, die Pulvermischung neben dem Herd einrühren und nochmal aufkochen.
3 Kirschen rein und abkühlen lassen. Schmeckt zu Mehlspeisen, Eis, Creme.

fixe Vanillesauce
1 1 Päckchen Vanillepuddingpulver für 1/2 Liter mit 1 Liter Milch wie auf der Packung beschrieben verkochen.
2 Mit Kakao drin wird daraus Schokoladensauce. Vanillesauce schmeckt zu Mehlspeisen, Fruchtdesserts, Schokolade, Kuchen.

fixe Schokoladensauce
1 1/2 Becher Sahne (100 g) erhitzen und darin 1 Tafel Lieblingsschokolade schmelzen.
2 Nach Lust und Laune noch mit Weinbrand, Obstbrand, Likör, Rum oder löslichem Kaffeepulver abschmecken. Schmeckt zu Cremes, schoko-tauglichen Früchten und leichten Mehlspeisen

fixe Mascarponesauce
1 1 Orange auspressen und den Saft mit 250 g Mascarpone, 1 EL Honig und einem Schuß Mandellikör verrühren. Schmeckt zu Fruchtsalat, Schokoladeneis, Waffeln, Pfannkuchen

In
Erdbeeren im Frühling, Melone im Sommer, Trauben im Herbst, Papaya im Winter • mehr als drei Apfelsorten kennen • mal Honig oder Sirup statt Zucker • Süßes mit Kokosmilch • alte Klassiker • Variationen zu einem Thema, z. B. Schokolade • Sahne mit dem Schneebesen steif schlagen • Für immer und ewig: Pudding, Eis und Schokolade

Out
Erdbeeren zu Weihnachten, Trauben an Ostern, Orangen in der Sommerzeit, Rhabarber im Herbst • "Äpfel sind doch alle gleich" • nur Zucker statt Geschmack • Optik um jeden Preis • Dessertteller, auf denen nichts zusammenpaßt • ein Nachtisch, der alleine schon satt macht • nie und nimmer: gar kein Nachtisch

Wie süß bin ich?

Auflösung des Tests auf Seite 149
1a: 1 Punkt, 1b: 3 Punkte, 1c: 2 Punkte
2a: 3 Punkte, 2b: 0 Punkte, 2c: 1 Punkt
3a: 2 Punkte, 3b: 0 Punkte, 3c: 3 Punkte

7-9 Punkte: kleines Süßchen

Für Sie muß Nachtisch kuscheln, also weich und am besten noch warm sein, damit Sie faul und glücklich in der Ecke liegen können. Mehr braucht es nicht, weder vorher noch nachher. Das tut schon gut – aber auf die Dauer kuschelt sich's anders besser.
Ihre Süßspeisen: Crème Caramel, Schokoladenpudding, Kaiserschmarren, Bratapfel, Arme Ritter und Mamas Grießbrei: $^1/_2$ l Milch aufkochen, 60 g Grieß einrieseln und unter Rühren 5 Minuten kochen lassen; 1 Eiweiß mit 1 Prise Salz und 1 EL Zucker steif schlagen; 1 Eigelb schnell unter den fertigen Grießbrei schlagen, Eischnee unterheben.

4-6 Punkte: verwöhntes Süßmaul

Einfach nur süß ist Ihnen zu simpel. Sie schätzen mehr die raffinierte Überraschung zum Dessert. Gibt's die nicht, werden Sie schon mal abschätzig. Das spornt an – und frustriert. Daher bitten wir um etwas Milde; auch Puddingkochen kann nett sein.
Ihre Süßspeisen: Panna cotta, Orangencreme, Crêpes Suzette, Zitronentarte, Mousse au chocolat und Caffè alla pappa: 1 Kugel Vanilleeis ins Glas, 1 Tasse starken heißen Espresso mit 1 Schuß Brandy darüber, gehackte Kaffeebohnen obendrauf und sofort servieren – so simpel kann Raffiniertes sein.

1-3 Punkte: Früchtchen

Was Süßes finden Sie ganz nett – wenn es gesund, munter und wenig Mühe macht. Deswegen beißen Sie lieber in den sauren Apfel, als ewig in den Ofen zu glotzen. Ihre Spritzigkeit reißt mit. Aber müssen Sie immer gleich nach dem Essen aufspringen?
Ihre Süßspeisen: Rote Grütze pur, Obstsalat (zur Not auch gratiniert), Orangencreme, Zitronentarte (wenn Sie sie nicht machen müssen) und Apfelquark: 250 g Magerquark mit 5 EL Bio-Apfelmus, 1 EL Honig und 1 Prise Zimt verrühren, dazu ein paar italienische Mandelkekse – geht fix, macht frisch und beruhigt zugleich.

Unsere liebste Frucht

Der Apfel

engl. apple; franz. pomme; ital. mela

Das ist er

- die liebste Frucht Europas und der Welt die drittliebste (hinter Zitrusfrüchten und Bananen)
- das ganze Jahr zu haben bis hinunter aus Neuseeland

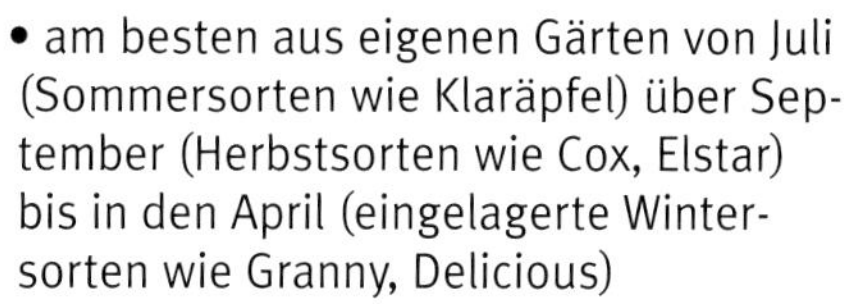

- am besten aus eigenen Gärten von Juli (Sommersorten wie Kläräpfel) über September (Herbstsorten wie Cox, Elstar) bis in den April (eingelagerte Wintersorten wie Granny, Delicious)
- vieltausendfältig in Sorten und Namen: z. B. Renette von Montfort, Minister von Hammerstein, Kardinal Graf Galen, Uhlhorns Augustklavill, Doktor Seelings Orangenpepping, Stina Lohmann, Josef Musch

Das hat er

- 50 Kalorien je 100 g
- 2 g Kohlenhydrate
- kaum Eiweiß und Fett
- reichlich Ballaststoffe und Pektin
- je nach Sorte ordentlich Vitamin C (Boskoop etwa)

Das bringt er

- regt die Verdauung an
- macht frisch und fit
- alle Tage Äpfel essen – und den Arzt kann man vergessen

Das mag er

- Butter, Quark, Sahne
- Anis, Vanille, Zimt, Zucker
- Mandeln, Nüsse, Rosinen, Zitrone
- Curry, Meerrettich, Pfeffer, Salz

Das will er

- nicht angestoßen werden, gibt schnell Flecken
- nicht im Kühlschrank liegen
- keine Kartoffeln oder Zitrusfrüchte neben sich, die lassen ihn schneller reifen
- am liebsten mit Schale gegessen werden
- geschält schnell verarbeitet werden, sonst wird er braun
- sanftes, kurzes Garen

Panna cotta
Sündhaft gut!

Mit Sahne pur (und ganz ohne Milch) wird's noch 'ne fettere Sünde.

Für 8 als süßer Höhepunkt:

400 g Sahne

600 ml Milch (oder 1 l Sahne pur)

100 g Zucker + 4 EL fürs Beerenkompott

2 Vanilleschoten

8 Blatt weiße Gelatine

400 g gemischte Beeren (Johannisbeeren, Erdbeeren, Himbeeren, Brombeeren – was grade frisch und günstig ist)

1 Die Sahne und die Milch in einen Topf gießen, 100 g Zucker unterrühren. Die Vanilleschoten mit einem scharfen Messerchen längs aufschlitzen, das Vanillemark (für die schwarzen Pünktchen in der Creme) mit der Messerspitze rauskratzen und in die Sahnemilch rühren. Die ausgekratzten Vanilleschoten auch dazugeben.

2 Alles bei schwacher Hitze zum Köcheln bringen, 15 Minuten sachte köcheln lassen. Die Gelatineblätter in einen Suppenteller legen und mit kaltem Wasser begießen, damit sie aufweichen.

3 Den Topf vom Herd nehmen, Vanilleschoten rausfischen und die Sahnemilch etwas abkühlen lassen. Dann die Gelatineblätter mit der Hand etwas ausdrücken und nacheinander unter die Milch rühren, bis sie sich aufgelöst haben.

4 Die Creme in 8 kalt ausgespülte Förmchen (Metallförmchen oder Soufflèförmchen aus Porzellan) von je etwa 150 ml Inhalt gießen. Im Kühlschrank über Nacht kalt stellen und fest werden lassen.

5 Die Beeren abbrausen, abtropfen lassen, Stiele, Blätter und welke Stellen entfernen, Erdbeeren kleinschneiden. Beeren in einem Topf mit 4 EL Zucker erwärmen, aber nur leicht zerkochen lassen. (Schmeckt warm oder kalt.)

6 Panna cotta aus den Förmchen auf Teller stürzen (dafür mit einem heiß abgespülten Messer ringsum die Creme vom Förmchen lösen oder das Förmchen kurz in heißes Wasser halten oder auch beides). Mit dem Beerenkompott garnieren.

So viel Zeit muß sein: 45 Minuten, plus Abkühlzeit
Das schmeckt dazu, davor oder danach: Espresso
Kalorien pro Portion: 290

Crème caramel
Jeder liebt sie

Für 6 zum süßen Finale:

8 EL Zucker

1/2 l Milch

1 Prise Salz

1 Vanilleschote

4 Eier

1 Zuerst wird der Karamelsirup gekocht: In einem Töpfchen 4 EL Zucker zerfließen bei schwacher Hitze und ganz leicht bräunen lassen, 2 EL Wasser einrühren, dann schnell runter vom Herd.

2 Den Sirup auf 6 kleine feuerfeste Förmchen (125 – 150 ml Creme sollten jeweils reinpassen) verteilen, die Förmchen schwenken, damit sich der Guß gleichmäßig auf dem Boden verteilt.

3 Den Backofen vorheizen auf 180 Grad (erst später einstellen: Umluft 160 Grad). Das tiefe Blech vom Backofen (Fettpfanne) mit Wasser füllen und unten einschieben.

4 Die Milch mit der Prise Salz und dem restlichen Zucker in einen Topf geben und langsam erhitzen. Vanilleschote längs aufschlitzen, das Mark rauskratzen und mit der Schote in die Milch geben. Kurz aufkochen, Topf dann schnell vom Herd nehmen.

5 Die Eier in einer Schüssel verquirlen. Vanilleschote aus der Milch fischen, einige Löffel der heißen Vanillemilch mit den Eiern verrühren. Dann nach und nach die übrige Milch auch einlaufen lassen, mit dem Schneebesen kräftig unterrühren.

6 Eiermilch in die vorbereiteten Förmchen mit dem Karamelboden gießen. Ins Wasserbad (in der Fettpfanne) stellen, ungefähr 20 Minuten garen, bis die Masse fest wird. Dann Förmchen rausnehmen, erstmal kurz abkühlen lassen und dann im Kühlschrank noch richtig gut durchkühlen lassen (am besten über Nacht).

7 Zum Servieren die Förmchen mit der Unterseite kurz in heißes Wasser tauchen, die Creme außerdem mit einem heiß abgespülten Messer rundum vom Rand lösen und auf Teller stürzen.

So viel Zeit muß sein: Aktiv sein 30 Minuten, Relaxen 20 Minuten (plus Abkühlzeit)
Das schmeckt dazu: Espresso
Kalorien pro Portion: 190

Variante

Die gleiche Eiermilchcreme kann man auch mit einer knusprigen Karamel-Kruste zubereiten.
Wie oben beschrieben aus 1/2 l Sahne (oder Milch), 4 EL Zucker und den verquirlten Eiern die Flanmasse anrühren. In Förmchen (ohne Karamel) füllen, im heißen Wasserbad garen. Abkühlen lassen. Vorm Essen die Förmchen in ein eiskaltes Wasserbad stellen (Fettpfanne vom Backofen mit kaltem Wasser und Eiswürfeln füllen). Jede Portion mit 1 EL Zucker bestreuen und unterm Backofengrill oder im sehr heißen Backofen schnell überkrusten. Nochmal abkühlen lassen (Lippenbrandgefahr) und erst dann servieren.

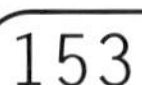

Schokoladen-pudding

Schmeckt wie früher

Heißt im strengen Küchendeutsch eigentlich Flammeri, aber wir wollen lieber Pudding essen.

Für 4 Puddingesser:

100 g Schokolade (halbbitter)

2 Eigelbe

4 EL Zucker

$^{1}/_{2}$ l Milch

40 g Speisestärke

1 Vanilleschote

1 Die Schokolade in kleine Stücke brechen oder grob raspeln. Eigelbe und Zucker in eine Schüssel geben, mit dem Schneebesen oder den Quirlen vom Handrührgerät einige Minuten lang schön cremig aufschlagen.

2 $^{1}/_{8}$ l Milch abnehmen und mit der Speisestärke verrühren, die übrige Milch in einen Topf gießen. Die Schokolade reingeben, Vanilleschote längs aufschlitzen, das Mark rausschaben und mit der Schote in den Milchtopf geben. Bei mittlerer Hitze alles unter Rühren aufkochen.

3 Angerührte Speisestärke angießen, unter Rühren bei mittlerer Hitze dicklich einköcheln. Vanilleschote rausnehmen, dann Herd ausschalten. Eigelb-Zucker-Creme untermischen, aber nicht mehr aufkochen!

4 Topf vom Herd nehmen, noch ein bißchen weiterrühren und leicht abkühlen lassen.

5 Jetzt nur noch 4 Förmchen oder 1 größere Form (1 l Inhalt) kalt ausspülen, Pudding einfüllen, im Kühlschrank gut durchkühlen lassen (mindestens 1–2 Stunden).

6 Zum Servieren Förmchen unten in heißes Wasser tauchen, den Rand vom Pudding mit einem heiß abgespülten Messer lösen, auf Teller stürzen.

So viel Zeit muß sein: 50 Minuten, plus Abkühlzeit
Das schmeckt dazu: Vanillesauce oder halbsteif geschlagene süße Sahne
Kalorien pro Portion: 340

Wer den Pudding etwas lockerer will, kann vor dem Einfüllen in die Förmchen noch 1 steifgeschlagenes Eiweiß unterheben. Allerdings läßt sich der Pudding dann nicht mehr so gut stürzen.

Basic Tip

Vanillesauce

Ein echter Basic aus Milch, Zucker, Vanille, Speisestärke und Eiern. $^{1}/_{2}$ l Milch in einem Topf verrühren mit 1 TL Speisestärke, 1 Päckchen Vanillezucker und dem ausgekratzten Mark von 1 Vanilleschote. In einer Tasse 2 Eigelbe (oder 1 ganzes Ei) mit 3 EL Zucker verquirlen, in die Milch rühren. Dann erst erhitzen und unter viel Rühren fast, aber wirklich nur fast, zum Kochen bringen. Schmeckt warm oder kalt – und ganz und gar nicht nur zu Schokoladenpudding.

Rote Grütze
Macht auch Coole schwach

Für 8 zum Reinsetzen:

500 g Johannisbeeren (natürlich rote)

125 g Sauerkirschen

125 g Himbeeren (oder 250 g von einer Sorte)

250 g Erdbeeren

200 ml + 1/8 l roter Beerensaft (Johannisbeer- oder Sauerkirsch)

3 EL Zucker, 1 Zimtstange

30 g Speisestärke

1 Johannisbeeren waschen, die Beerchen abstreifen. Kirschen waschen und die Kerne rauslösen (auch dafür gibt's ein Spezialgerät, aber auch das kann man mit einem kleinen scharfen Messerchen bewältigen). Die Himbeeren besser nicht waschen, sondern nur die auslesen, die nicht mehr frisch und schön sind. Erdbeeren waschen, Stiele rauszupfen, große Erdbeeren halbieren oder vierteln.

2 Die 200 ml Saft mit 2 EL Zucker in einem großen Topf mischen, Zimtstange reingeben, aufkochen. Dann Johannisbeeren und Kirschen dazu, 2–3 Minuten köcheln lassen.

3 Mit dem übrigen 1/8 l Saft die Speisestärke glattrühren, in den großen Topf gießen und unter Rühren kochen lassen, bis die Mischung im Topf dicklich wird. Erst jetzt die Erdbeeren und die Himbeeren untermischen, alles nochmal mit Zucker abschmecken. Vom Herd nehmen und abkühlen lassen, Zimtstange rausnehmen. Im Kühlschrank richtig gut kalt werden lassen.

So viel Zeit muß sein: 45 Minuten, plus Abkühlzeit
Das schmeckt dazu: Vanillesauce (Rezept Seite 154) oder Vanilleeis
Kalorien pro Portion: 95

Gratinierter Obstsalat
Reste-Zauber

Für 4–6 als Nachtisch:

1–1,5 kg Obst (die Reste aus dem Obstkorb oder alles, was einen am Obststand anlacht – möglichst bunt gemischt, aber ohne Zitrusfrüchte)

4 EL Zitronensaft

2 Eier, 2 EL Zucker

1 Päckchen Vanillezucker

1/2 TL abgeriebene Zitronenschale

2 EL Mandel- oder Orangenlikör (z. B. Amaretto, Cointreau)

1 Obst je nach Sorte schälen oder waschen, in kleine Stücke schnipseln. Mit Zitronensaft beträufeln. Backofen auf 200 Grad vorheizen (auch Umluft jetzt schon: 180 Grad).

2 Die Eier in Eigelb und Eiweiß trennen. Die Eigelbe mit dem Zucker, dem Vanillezucker, Zitronenschale und Likör glattrühren. Eiweiße mit den Quirlen vom Handrührgerät steif schlagen. Mit der Eigelbcreme verrühren.

3 Den Obstsalat in eine feuerfeste Form füllen, mit dem Eierschaum bestreichen und im Backofen (Mitte) 10 Minuten überbacken.

So viel Zeit muß sein: 45 Minuten
Das schmeckt dazu: Löffelbiskuits
Kalorien pro Portion: 390

Orangencreme
Schmeckt nach mehr

Für 6 – 8:

2 Saftorangen mit unbehandelter Schale

1 unbehandelte Zitrone

6 Blatt weiße Gelatine

3 Eigelbe, 100 g Zucker

300 g Joghurt, 200 g Sahne

eventuell weiße Schokolade und abgeriebene Orangenschale zum Garnieren

1 Die Orangen und die Zitrone heiß abwaschen und die Schale fein abreiben. Dann die Früchte halbieren und auspressen.

2 Die Gelatineblätter in kaltem Wasser weich werden lassen. Fürs Wasserbad einen breiten Topf zur Hälfte mit Wasser füllen und erhitzen, aber nicht kochen. Jetzt braucht man nur noch eine hohe Rührschüssel aus Metall, die in den Topf hineinpaßt (oder einfach einen kleineren Topf). Eigelbe mit dem Zucker in die Schüssel geben, mit den Quirlen vom Handrührgerät glattrühren.

3 Die Schüssel nun in den Topf mit dem heißen Wasser setzen, abgeriebene Schale und Saft von Orangen und Zitrone dazu und im Wasserbad weiterrühren, bis die Masse schaumig, leicht und luftig ist. Schnell runter vom Herd.

4 Die Gelatineblätter leicht ausdrücken, nacheinander in die Creme rühren und auflösen. Kurz abkühlen lassen, dann Joghurt untermischen. 5 – 10 Minuten kalt stellen.

5 Die Sahne mit den (sauberen) Quirlen steif schlagen, locker unterziehen. Die Creme nun in 6 oder 8 kleine Förmchen oder in eine große Form füllen und im Kühlschrank richtig kalt und fest werden lassen. Wer möchte, garniert mit geraspelter weißer Schokolade und abgeriebener Orangenschale.

So viel Zeit muß sein: 45 Minuten, plus Kühlzeit
Das schmeckt dazu: Löffelbiskuits, Kekse
Kalorien pro Portion (8): 440

Bratäpfel
Aus Omas Kochbuch

Für 4 oder auch für 8 – je nach Appetit:

2 EL Rosinen

1/8 l Apfelwein oder Apfelsaft

8 kleine feste säuerliche Äpfel (z. B. Boskoop)

2 EL Zitronensaft, 2 EL Butter

50 g Mandelblättchen

1 – 2 EL Honig, 1/4 TL Zimtpulver

1 – 2 TL abgeriebene unbehandelte Zitronenschale

1 Die Rosinen im Apfelwein oder Saft einweichen. Backofen vorheizen auf 180 Grad (auch schon jetzt: Umluft 160 Grad).

2 Die Äpfel gut waschen, trockenreiben. Die Kerngehäuse mit einem Messer vorsichtig, aber großzügig rausschneiden, ohne die Äpfel zu zerlegen. Die Höhlungen mit Zitronensaft beträufeln.

3 Eine feuerfeste Form mit 1 TL Butter ausstreichen. Die Rosinen abtropfen lassen, den Apfelwein oder Saft in die Form gießen. Mandelblättchen grob hacken, mit der restlichen Butter, Rosinen und Honig verrühren, mit Zimtpulver und abgeriebener Zitronenschale würzen.

4 Die ausgehöhlten Äpfel in die Form setzen, mit der Mischung füllen. Knapp 20 Minuten im Ofen braten (Mitte).

So viel Zeit muß sein: 45 Minuten
Das schmeckt dazu: Vanilleeis oder Vanillesauce (Rezept Seite 154)
Kalorien pro Portion (8): 120

Kaiserschmarrn mit Mascarpone
Statt Diät

Für 3 – 4 als königlicher Nachtisch:

4 Eier

1 Prise Salz

50 g Zucker

1 EL abgeriebene unbehandelte Zitronenschale

4 EL Milch

100 g Mehl

250 g Mascarpone (ersatzweise Doppelrahm-Frischkäse + 2 EL Sahne)

2 EL Butter

Puderzucker zum Bestäuben

1 Zwei der Eier in Eigelb und Eiweiß trennen. Die 2 Eigelbe in eine Rührschüssel geben, die beiden übrigen Eier aufschlagen und dazugeben. Mit 1 Prise Salz, dem Zucker und der Zitronenschale verquirlen.

2 Nacheinander Milch, Mehl und Mascarpone unterrühren. Die 2 Eiweiße mit den Quirlen vom Handrührgerät zu steifem Schnee schlagen. Nur ganz locker unter die Masse ziehen, es soll keine gleichmäßige Creme werden, sondern ein Teig mit deutlich erkennbaren Eiweißzipfeln.

3 In einer großen Pfanne (keine beschichtete) bei mittlerer Hitze die Butter zerlassen. Den Teig 2 – 3 cm dick einfüllen und glattstreichen. Die untere Seite anbacken, dann mit 2 Gabeln kreuz und quer durch den Teig pflügen und ihn in kleine Stücke zerrupfen.

4 Die Gabeln wieder weglegen und die Teigstückchen nun bei stärkerer Hitze mit dem Pfannenwender noch so lange umschichten und wenden, bis alle rundum knusprig gebacken sind. Mit Puderzucker bestäuben – frisch essen!

So viel Zeit muß sein: 35 Minuten
Das schmeckt dazu: Apfelmus (gibt's fertig im Glas – oder einfach geschälte Apfelstücke knapp mit Zitronensaft und Wasser bedeckt weich kochen, mit Zucker und Zimt würzen), Beerenkompott (siehe Panna cotta Seite 152) oder Früchtekompott jeglicher Art
Kalorien pro Portion (4): 555

Blueberry Muffins
Schwer im Kommen

Für 12 Stück:

1 Muffinblech und 12 Papier-Backförmchen oder 24 Papier-Backförmchen

250 g Mehl

3 TL Backpulver

1 Glas Heidelbeeren (200 g, oder frische Heidelbeeren oder tiefgekühlte)

1 großes Ei

150 g Zucker

1 Päckchen Vanillezucker

8 EL Sonnenblumenöl

150 g Buttermilch (geht auch mit Milch, Joghurt oder saurer Sahne)

1 Die 12 Papier-Backförmchen in die Vertiefungen des Muffinblechs setzen. Wer kein Muffinblech hat, setzt jeweils 2 Förmchen ineinander und stellt sie auf ein Backblech. Den Backofen schon mal auf 180 Grad vorheizen (auch schon jetzt: Umluft 160 Grad).

2 Das Mehl mit dem Backpulver mischen. Die Heidelbeeren in ein Sieb schütten und gut abtropfen lassen (den Saft trinken oder aufheben – den braucht man fürs Rezept nicht).

3 Das Ei in einer Rührschüssel verquirlen. Dann Zucker, Vanillezucker, Öl und Buttermilch untermischen, alles gut verrühren. Mehl nach und nach untermischen, dann die abgetropften Heidelbeeren dazu.

4 Den Teig in die 12 Vertiefungen füllen, im Backofen (Mitte) 20 – 25 Minuten backen. Herd ausschalten, Muffins noch kurz ruhen lassen. Dann aus den Förmchen lösen, warm oder abgekühlt essen.

So viel Zeit muß sein: Aktiv sein 20 Minuten, Relaxen 20 – 25 Minuten
Das schmeckt dazu: Vanillesauce (Rezept Seite 154)
Kalorien pro Stück: 210

Crêpes Suzette
Hauchdünne Pfannkuchen-Edelversion

Für 4 Frankophile:

50 g Butter für den Teig + 1 TL für die Orangensauce

2 Eier

150 ml Milch

1 Prise Salz

1 EL Zucker

100 g Mehl

4 Orangen (wenigstens 1 mit unbehandelter Schale)

1 EL Vanillezucker

2 EL Orangenlikör (Grand Marnier, Cointreau)

50 g Butterschmalz

Puderzucker

1 Butter für den Teig in einem Töpfchen schmelzen lassen, wieder vom Herd nehmen. Eier mit der Milch verquirlen, mit Salz und Zucker würzen. Mehl löffelweise dazugeben und alles zu einem glatten Teig ohne Klümpchen rühren.

2 $^{1}/_{2}$ Orange auspressen, den Saft unter die flüssige Butter rühren. Unter den Teig mischen, 30 Minuten im Kühlschrank abkühlen lassen.

3 Zweite Orangenhälfte und 1 weitere Orange auch noch auspressen. Die unbehandelte Orange heiß waschen und abtrocknen, die Schale abreiben. Die 2 Orangen rundum dick abschälen, bis man aufs Fruchtfleisch stößt. Dann die einzelnen Filets mit einem scharfen Messer zwischen den Häutchen rausschneiden. Den Saft, der dabei abtropft, zum anderen Saft geben.

4 Jetzt geht's an die Orangensauce: In einer Pfanne den TL Butter schmelzen. Vanillezucker einrühren, bei mittlerer Hitze ganz leicht anbräunen, dann Saft und Likör angießen, in 3 – 5 Minuten sirupartig einkochen. Orangenfilets reinlegen. Bei schwacher Hitze warm halten.

5 Eine beschichtete Pfanne mit Butterschmalz ausstreichen und erhitzen. Eine kleine Schöpfkelle voll Teig reingeben, Pfanne wenden und drehen, damit er sich gleichmäßig verteilt. Bei mittlerer Hitze $^{1}/_{2}$ – 1 Minute anbacken, dann wenden und in $^{1}/_{2}$ – 1 Minute fertigbacken. Crêpe zusammenfalten, in die Orangensauce legen.

6 Alle Crêpes backen, falten und in die Sauce legen (Pfanne immer wieder mal mit etwas Butterschmalz ausstreichen). Mit Puderzucker bestäuben und gleich essen.

So viel Zeit muß sein: 1 $^{1}/_{4}$ Stunden
Das schmeckt dazu: für ganz Süße 1 Kugel Vanilleeis
Kalorien pro Portion: 470

Arme-Ritter-Auflauf

Macht schwer was her

Für 3–4 zum Sattessen,
für 6–8 zum Dessert:
6 EL Butter, 50 g Rosinen
6 trockene Brötchen (vom Vortag, oder Weißbrot oder Brioches)
6 EL Zucker
4 mittelgroße feste säuerliche Äpfel (z. B. Boskoop)
1 unbehandelte Zitrone
1/2 l Milch
3 Eier, 1 Prise Salz
1 Päckchen Vanillezucker
1/2 TL Zimtpulver, 2 EL Pinienkerne

1 Den Backofen auf 200 Grad vorheizen (erst später einstellen: Umluft 180 Grad). Eine große Auflaufform mit 1 EL Butter einfetten. Rosinen waschen und abtrocknen.

2 Die Brötchen in dünne Scheiben schneiden. 3 EL Butter mit 2 EL Zucker unter Rühren schmelzen. Brotscheiben damit bestreichen, auf dem Backblech im Ofen 6 Minuten backen. Äpfel vierteln, schälen und die Kerngehäuse rausschneiden. Die Äpfel in Spalten schneiden. Brot- und Apfelscheiben dachziegelartig in die Auflaufform einschichten.

3 Die Zitrone heiß waschen, abtrocknen, die Schale fein abreiben. Die Milch mit der Zitronenschale, den Eiern, dem Salz, dem Vanillezucker und dem übrigen normalen Zucker mit dem Schneebesen kräftig verquirlen.

4 Über Äpfel und Brot gießen, mit Rosinen und Zimt bestreuen. Im Backofen (Mitte) 30 Minuten überbacken. Dann die Pinienkerne aufstreuen, restliche Butter in Flöckchen auf der Oberfläche verteilen und alles noch 10–15 Minuten weiterbacken.

So viel Zeit muß sein: Aktiv sein 30 Minuten, Relaxen 40–45 Minuten
Kalorien pro Portion (8): 265

Zitronentarte
Mediterraner Basic

Macht Lust auf mehr ... Schinharl-Rezepte!

Für 8 – 10 Genießer:

Für den Teig:

200 g Mehl

60 g Zucker

100 g kalte Butter

1/2 unbehandelte Zitrone

1 TL gemahlene Vanille

1 Eigelb

Für die Füllung:

2 1/2 unbehandelte Zitronen

4 Eier

1 Eigelb

200 g Zucker

125 g Sahne

1 EL Puderzucker

Außerdem getrocknete Bohnen oder Erbsen und Pergamentpapier zum Vorbacken

1 Das Mehl mit dem Zucker in eine Schüssel füllen. Die Butter in kleine Stücke schneiden. Die Zitronenschale fein abreiben, mit der Butter, Vanille und Eigelb zum Mehl geben.

2 Die Hände kalt abwaschen, damit der Teig kühl bleibt, dann alles nur so lange verkneten, bis keine Butterstückchen mehr im Teig zu sehen sind. Den Teig rund ausrollen – das geht sehr gut zwischen zwei Schichten Klarsichtfolie –, eine Tarteform von 30 cm Durchmesser damit auslegen und den Teig in der Form 1 Stunde kühl stellen.

3 Dann den Backofen schon mal auf 180 Grad einstellen (auch die Umluft schon jetzt: 160 Grad).

4 Den Teigboden in der Form mit einem Stück Papier belegen und mit Erbsen oder Bohnen beschweren. Den Teig im Ofen (Mitte) etwa 10 Minuten vorbacken.

5 Für die Füllung die Zitronen waschen und die Schale abreiben. Die Zitronen auspressen. Die Eier, das Eigelb und den Zucker mit den Quirlen vom Handrührgerät sehr schaumig schlagen. Zitronenschale und -saft zur Eiercreme geben. Die Sahne steif schlagen und unterziehen.

6 Bohnen oder Erbsen und Papier vom vorgebackenen Teig nehmen. Zitronencreme auf den Teig gießen und alles bei 150 Grad (Umluft jetzt nur noch 130 Grad) 50 Minuten backen, bis die Creme fest ist.

7 Tarte ganz auskühlen lassen. Vor dem Servieren den Backofengrill einschalten. Die Tarte mit dem Puderzucker bestäuben und unter den heißen Grillschlangen bräunen. Vorsicht, das kann weniger als 1 Minute dauern!

So viel Zeit muß sein: Aktiv sein 35 Minuten, Relaxen 1 3/4 Stunden
Das schmeckt dazu: Espresso
Kalorien pro Portion (10): 340

Mousse au chocolat
Dauerbrenner

Für 4 Unverdrossene:

250 g Halbbitter-Kuvertüre

50 g Butter

5 ganz frische Eier

Salz

2 EL Zucker

1 Schon wieder ein Rezept mit Wasserbad: Also einen größeren Topf zur Hälfte mit Wasser füllen und erhitzen. Eine passende Metallschüssel hineinstellen. Die Kuvertüre fein hacken und in die Schüssel geben. Langsam überm warmen Wasser flüssig werden lassen – aber immer bei mittlerer Hitze, damit die Schokolade nicht gerinnt. Ab und zu umrühren.

2 Die Butter in einem Töpfchen schmelzen, dann lauwarm abkühlen lassen – aber so, daß sie noch flüssig bleibt. Unter die flüssige Schokolade rühren, runter vom Herd. Den Topf mit dem heißen Wasser aber gleich stehenlassen für die Eiercreme.

3 Die Eier trennen. Eiweiße mit 1 Prise Salz steif schlagen (Quirle vom Handrührgerät). Die Eigelbe mit dem Zucker in eine Rührschüssel geben, zuerst in einen Topf mit zur Abwechslung mal eiskaltem (!) Wasser setzen und mit dem Schneebesen schaumig schlagen. Dann überwechseln zum warmen Wasserbad, die Masse dort dick-cremig aufschlagen.

4 Grande Finale: Eierschaum mit der Schokomasse verrühren. Dann vom Eischnee erst mal nur ein Drittel unterrühren. Den Rest vom Eischnee nur ganz locker unterheben, nicht richtig mischen, damit's schön luftig bleibt. Die Mousse abfüllen und sehr gut kühlen (mindestens 3 Stunden im Kühlschrank).

So viel Zeit muß sein: 30 – 40 Minuten (je nach Übung und Wasserbad-Erfahrung), plus Kühlzeit
Kalorien pro Portion: 535

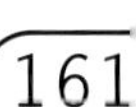

Das No-Basics-Lexikon

Schon gemerkt, daß wir bisher wenig von Blanchieren oder Pochieren geschrieben haben? Wir wollten halt so schreiben, daß es jeder versteht.

Cool ist das nicht, weil es meistens deutsch ist. Aber wir fanden es ziemlich entspannend, mal ohne das übliche Wortgeklingel übers Essen zu schreiben. Das war wie kühles Wasser trinken nach lauen Nächten voller Chardonnay, Long Island Tea und Latte macchiato und trotzdem kein Essay darüber verfassen. Sondern einfach ein Kochbuch. Nur warum heißt das dann ausgerechnet „Basic cooking“? Ach Gott, muß denn immer alles eindeutig sein ... Und anscheinend haben Sie uns auch so ganz gut verstanden, oder würden Sie es sonst bis zur letzten Seite geschafft haben? Auf der finden Sie jetzt unser Lexikon für alle Fälle, die nicht in „Basic cooking“ vorkommen: fürs Lesen und Verstehen von anderen Kochbüchern; für das, was nach dem Kochen beim Essen und Trinken geschieht; und für den Smalltalk dazu (siehe dort).

Ablöschen
Nach dem Anbraten Flüssigkeit in Topf oder Pfanne gießen, damit das Angebratene loskocht und zu Sauce wird. Beeindruckend: gerade, wenn die Gäste in die Küche schauen, einen lässigen Schuß besten Rotwein in die Pfanne zischen lassen. Blöd: vor lauter Aufregung die Flasche hinterherschmeißen.

Alkohol
Kann ein Gericht oder eine ganze Party verfeinern – oder versauen. Gegen letzteres hilft, an der Menge statt an der Qualität zu sparen.

Anschwitzen
Etwas anbraten, ohne daß es braun wird; meistens Zwiebeln oder Knoblauch.

Aperitif
Sanftes Einstiegsgetränk, macht locker und weckt Erwartungen. Prosecco, Sekt, Champagner etc. sind gut, aber auch der Weißwein, den es zum Essen gibt, Bier oder nicht zu süße Säfte. Harte Schnäpse sind nicht gut. Klassischer Versprecher: „Und jetzt noch einen schönen Aperitif nach dem Essen.“

Backen
Ein Thema für sich und selten die Stärke von leidenschaftlichen Köchen. Deswegen in diesem Buch kaum vertreten (kommt aber noch).

Benehmen
Schadet nie, wenn man es richtig einzusetzen weiß. Immer gut: bitte, danke, Entschuldigung (in Maßen). Nicht so gut: bei spontanen Gelagen die höfische Etikette pflegen (stört nur). Nie gut: laut und feucht reden, niesen, rülpsen und noch mehr.

Besteck
Meist hilfreich. Messer (rechts) und Gabel (links) gehören zur Grundausstattung, Löffel bei Bedarf rechts vom Messer. Bei größeren Geschichten mit mehreren Gängen wird immer von außen nach innen gegessen. Erfreulich ist ein keck über dem Teller plazierter kleiner Löffel (Stiel nach rechts), weil er Süßes verspricht. Im Kommen: Stäbchen (werden parallel rechts neben das Porzellan oder von rechts kommend quer davor gelegt). Siehe auch Hände.

Blanchieren
Etwas kurz in stark kochendes Wasser geben, damit es vorgegart ist. Manchmal wird es danach in Eiswasser abgeschreckt, um die Farbe „einzufrieren“.

Cappuccino
Espresso mit heißer Milch und viel Schaum. Kakaopulver drüber und Minikekse dazu müssen nicht sein. Auch lecker mit Schlagsahne, dann aber mit Schelte von Italo-Fans rechnen. Empfohlener Konter: „Noch nie was von Cappuccino Viennese gehört?“ Ebenfalls in der Kritik: Cappuccino am Nachmittag, weil ihn der Italiener nur morgens trinkt. Empfohlener Konter: „Bist doch selber schuld, wenn du so früh aufstehst.“

Diät
Wir haben die Sieben-Tage-Basic-Diät: Iß eine Woche lang, was Du magst, aber nie zweimal dasselbe.

Farce
Sehr fein zerkleinerte Masse aus Fleisch, Fisch oder Gemüse zum Füllen.

Fond
Kräftige Flüssigkeit, die vor allem aus Knochen, Gräten oder Gemüse gekocht wird. Gute Basis für Saucen und Suppen. Kann man auch kaufen.

Glacieren
1. Braten (z. B. Schweinsbraten) immer wieder mit Bratsatz beschöpfen, damit er eine glänzende Kruste bekommt;
2. Gemüse mit Fett, Flüssigkeit und etwas Zucker dünsten, so daß es von glänzendem Sirup überzogen wird.

Gläser
Es stimmt wirklich: auch das Glas macht den Geschmack eines Getränks (Wer's nicht glaubt, soll mal Kaffee aus dünnen und dicken Tassen trinken.) Dabei gilt: je feiner das Getränk, desto feiner die Unterschiede. Also Champagner lieber aus der länglichen Flöte nippen als aus dem weiten Sektpokal schlürfen. Prosecco dagegen ist sogar in Weißweingläsern salonfähig. Noch wichtig: Gläser rechts vom Teller, Wassergläser nicht

vergessen, Weingläser höchstens halbvoll machen.

Gratinieren
Heißt überbacken. Ein Gratin ist daher eher etwas Überbackenes als ein Auflauf.

Hände und Finger
Ideale Werkzeuge zum Kneten, Salatmischen (nicht bei Tisch), Abschmecken (auch nur, wenn keiner hinschaut) und Gäste begrüßen (vorher waschen). Mit den Händen essen macht einiges leichter (Sandwich, Hähnchenschenkel) und vieles sinnlicher (Spargel, Muscheln, Erdbeeren). Sinnvoll: eine Hand immer sauber halten.

Köcheln
Eine Flüssigkeit köchelt, wenn sie gerade so am Siedepunkt ist und kleine Bläschen aufsteigen. Bewegt sich die Oberfläche nur leicht, spricht man von Wallen oder Sieden.

Marinieren
Etwas in würziger Flüssigkeit oder Creme einlegen, z. B. Salat oder Grillfleisch. Siehe auch ziehen lassen.

Menü
Macht was her und läßt Gäste sich wertvoller fühlen. Schon ein Salat zuvor oder der Pudding danach macht aus einem Essen ein Menü. Erste Regel: Nicht übertreiben. Kein Sechs-Gang-Menü, wenn Freunde nur schnell mal vor dem Kino was essen wollten. Und auch nicht zwischen jedem Gang eine halbe Stunde laut fluchend in der Küche stehen, so daß am Tisch jedes Gespräch erstirbt. Zweite Regel: Abwechslung! Sahnesuppe, Sahneschnitzel und Sahnecreme sind nicht abwechslungsreich.

Mutters Küche
Geniales bis fatales Stichwort für die Tischkonversation: „Hinreißend dieser Schweinsbraten, so einen guten hab' ich zuletzt bei meiner Mutter gegessen.“ Genial, wenn die Köchin/ der Koch kein Altersproblem hat und die übrigen Gäste sofort eigene Erinnerungen herauskramen. Fatal, wenn der regelmäßig schweinsbratenkochende Partner am Tisch sitzt.

Parfüm
Die Zunge kann nur den Grundgeschmack des Essens erkennen, die Feinarbeit erledigt die Nase. Wenn man sich am Tisch einig ist, daß heute abend alles irgendwie nach Moschus/Veilchen/Kölnisch Wasser schmeckt, hat wohl jemand zu viel Duft aufgelegt. Noch schlimmer: Duftkerzen und -lampen. Siehe auch Rauchen.

Pochieren
Etwas in bewegt siedendem Wasser sanft garen. Siehe auch Köcheln.

Rauchen
Schwierig, schwierig. Aber eigentlich ganz klar: Rauchen und Schmecken verträgt sich nicht. Deswegen sollte beim Essen nur geraucht werden, wenn allen am Tisch die Zigarette oder was auch immer wichtig ist. Ansonsten: Wenn es in Ordnung geht, vor oder nach dem Essen rauchen. Oder in Pausen von größeren Gelagen das zugewiesene Raucherplätzchen aufsuchen.

Schlürfen
Weinkenner und Espressotrinker wissen, daß Schlürfen gute Tropfen noch besser macht, weil so das Aroma aufgepumpt wird. Und der genußvoll am Suppentellerrand vorgetragene Schlürf kann im privaten Kreis eine Ode an die Kochkunst sein. Trotzdem: ein herzliches Kompliment ist im Zweifel eher verständlich.

Servietten
Sind selbst bei der Mitternachtswurstbrotsession nützlich, wenn es nicht gerade kunstvoll gefaltete Damastschwäne sind, die jede Spontanität absterben und einen überlegen lassen, wie lange die einer schon in den Fingern gehabt hat.

Smalltalk
Auf deutsch Schmalgeschwätz. Als Aperitif für einen gelungenen Abend durchaus zu empfehlen, als Haupttischgespräch eher ernüchternd. Gute Themen: Wetter, Fernsehen, Sport, Unterhaltung, Essen, Trinken. Schlechte Themen: Naturkatastrophen, die Bibel, Krankheiten, Politik, Verdauung, Saufgeschichten. Siehe auch Mutters Küche.

Tranchieren
Einen Braten oder gebratenes Geflügel in Portionen teilen. Wirkt am Tisch imposant, wenn man es kann. Wenn nicht, sind Essen, Tafel, Garderobe, Gäste und der ganze Abend akut gefährdet.

Tratsch
„Mein Gott, war der Abend schrecklich. Sobald einer weg war, sind alle über ihn hergezogen.“ „Und warum bist Du dann als letztes gegangen?“ „Na, damit mir das nicht auch passiert.“ Ein bißchen Tratsch gibt einem Essen Pfeffer. Zuviel davon macht es aber ungenießbar. Siehe auch Smalltalk.

Ziehen lassen
1. garziehen lassen: z. B. Tafelspitz in leicht wallender Flüssigkeit garen
2. durchziehen lassen: z. B. Nudelsalat stehenlassen, bis er alles Aroma aufgesogen hat
3. Gäste ziehen lassen: „Und morgen früh geht es für zwei Monate nach Australien. Haben wir eigentlich schon gepackt, Schatz?“

Register von A-Z

Hot & spicy

Low budget

Quick & easy

Vegetarisch

Impressum

Unsere Garantie

Alle Informationen in diesem Ratgeber sind sorgfältig und gewissenhaft geprüft. Sollte dennoch einmal ein Fehler enthalten sein, schicken Sie uns das Buch mit dem entsprechenden Hinweis an unseren Leserservice zurück. Wir tauschen Ihnen den GU-Ratgeber gegen einen anderen zum gleichen oder ähnlichen Thema um.

Liebe Leserin und lieber Leser,

wir freuen uns, dass Sie sich für ein GU-Buch entschieden haben. Mit Ihrem Kauf setzen Sie auf die Qualität, Kompetenz und Aktualität unserer Ratgeber. Dafür sagen wir Danke! Wir wollen als führender Ratgeberverlag noch besser werden. Daher ist uns Ihre Meinung wichtig. Bitte senden Sie uns Ihre Anregungen, Ihre Kritik oder Ihr Lob zu unseren Büchern. Haben Sie Fragen oder benötigen Sie weiteren Rat zum Thema? Wir freuen uns auf Ihre Nachricht!

Wir sind für Sie da!
Montag–Donnerstag: 8.00–18.00 Uhr;
Freitag: 8.00–16.00 Uhr
Tel.: 0180–5005054*
Fax: 0180–5012054*
*(0,14 €/Min. aus dem dt. Festnetz/ Mobilfunkpreise maximal 0,42 €/Min.)
E-Mail: leserservice@graefe-und-unzer.de

P.S.: Wollen Sie noch mehr Aktuelles von GU wissen, dann abonnieren Sie doch unseren kostenlosen GU-Online-Newsletter und/oder unsere kostenlosen Kundenmagazine.

GRÄFE UND UNZER VERLAG
Leserservice
Postfach 86 03 13
81630 München

Ein Unternehmen der
GANSKE VERLAGSGRUPPE

Die Autoren:

Sebastian Dickhaut und Sabine Sälzer beschlossen 1998, endlich das Kochbuch zu machen, das ihnen selbst noch fehlte. Zusammen mit ihrem Basic-Team tüfteln sie das Konzept fürs Buch und die Reihe aus: Mit Birgit Rademacker und Katharina Lisson (Redaktion), Thomas Jankovic und Sybille Engels (Gestaltung), den Fotografen Axel Walter und Barbara Bonisolli, Susanne Mühldorfer (Herstellung) – und mit Cornelia Schinharl (Lektorat), die zwischenzeitlich bei fast allen Basics die Rezepte beisteuert.

Die Fotografen und die Models:

Barbara Bonisolli
... gehört zu der jungen Generation der Foodfotografen. Neben gutem Essen gilt ihr Interesse allen schönen Dingen rund um Tisch und Küche. Das ansprechende Ambiente für ihre Fotos gestaltet Barbara Bonisolli deshalb selbst. Zu Ihrem Kundenkreis gehören Zeitschriften und Kochbuchverlage, daneben arbeitet sie für Werbung und Industrie. Das Foodstyling für die Rezeptbilder dieses Buches machte **Hans Gerlach**, gelernter Koch und Architekt, Mitinhaber der Agentur „food & text".

Alexander Walter
... ist Fotograf und ein begnadeter Kochkünstler, wenn es darum geht, die Kreativrezepte von Werbe-, PR- und Verlagsleuten in tolle Bilder umzusetzen. Seine Lieblingsthemen sind People, Reportage und Stillife, doch im Grunde ist er offen für alles – „sonst wird's ja langweilig". Für „Basic cooking" hat er die hinreißenden Models hinreißend in Szene gesetzt.

Gabie Ismaier schwärmt für arme Ritter, ist im bürgerlichen Leben Buchherstellerin und weiß jetzt endlich, wie man perfekte Sushi macht.
Markus Röleke (alias „THE FACE"), Spezialist im Pflanzerl-Auftürmen und Pfannkuchen-Werfen, ist hauptberuflich Geograph und mit der Kartographie in Reiseführern beschäftigt.
Janna Sälzer, die Frau mit dem Krokodil, praktiziert gerade in der Welt des Filmemachens und tanzt auf mehr als vielen Hochzeiten – am liebsten klassisches Ballett und Modernen Tanz.
Kai Schröter, der Bolognese-König, ist Musiker, Sänger, Komponist und mischt im Tonstudio mit.

Dankeschön an:

Christa Schmedes, unseren Engel bei der Fotoproduktion. Sie schnippelte und kochte und backte, instruierte die Models im Pfannkuchen-Werfen und Ingwerschneiden und half überall, wo es etwas zu tun gab.
Erdmute Albat und Klaus Neumann, die uns ihre schöne Wohnung zur Verfügung stellten.
Alle Kolleginnen aus der Kochbuchredaktion für seelisch-moralische und tatkräftige Unterstützung.
Ulla Thomsen fürs Korrekturlesen.
Die Firma **Siemens**, die uns den traumhaften Herd geliehen hat und den An- und Abtransport desselben in den vierten Stock ohne Lift gemanagt hat.
Die Firmen **Monopol**, **Rösle**, **WMF** und **Zassenhaus**, die uns einige der fantastischen 14 zur Verfügung stellten.

Bildnachweis:

Barbara Bonisolli: Rezeptfotos, Stepfotos, Garmethoden, „schnelle 17" und „fantastische 14", Fisch S. 102
Alexander Walter: alle People-Fotos; Stillife-Aufmacher S. 7

StockFood:
Walter Pfisterer: Nudel S. 38 u. S. 40/Picture Box: Zwiebel S. 66 u. S. 116/Maximilian Stock: Tomate auf U 4, S. 132 u. S. 135; Ei S. 10, S. 84 u. S. 86; Fisch S. 100; Apfel S. 151/Gerhard Bumann: Möhre S. 135/ S. & P. Eising: Sahne S. 148
Michael Boyny: S. 168 oben

Syndication:
www.jalag-syndication.de

Redaktion: Katharina Lisson
Lektorat: Cornelia Schinharl
Gestaltung und Layout: Sybille Engels und Thomas Jankovic
Herstellung: Susanne Mühldorfer
Satz: Filmsatz Schröter
Repro: Longo AG, Bozen
Druck & Bindung: Druckhaus Kaufmann, Lahr

ISBN 978-3-7742-1142-1

24. Auflage 2010